ARTISANS DE PAIX

ARTISANS DE PAIX
Ouvrage collectif
sous la direction
de Pierre Dufresne

Maquette
Gilles Lépine
Denis de Carufel

Dessins
Plantu

Copyright
NOVALIS, Université Saint-Paul, 1986.
(223, rue Main, Ottawa, Canada K1S 1C4)

Distribution
NOVALIS, C.P. 700, Hull Qué. J8Z 1X2
(Comptoirs: 375, rue Rideau, Ottawa
et 8123, rue St-Denis, Montréal)

Dépôt légal
1er trimestre 1986
Bibliothèque nationale du Québec
Bibliothèque nationale du Canada

ISBN: 2-89088-253-5

Imprimé au Canada

NOVALIS

ARTISANS DE PAIX

Ronald BABIN • Jean-François BEAUDET
Dominique BOISVERT • DÉVELOPPEMENT ET PAIX
Pierre DUFRESNE • Monique DUPUIS
Jeannine GAUTHIER • Paul-André GIGUÈRE
Julien HARVEY • JEUNESSE DU MONDE
Joanne LAGACÉ • Odette MAINVILLE
Guy PAIEMENT • Mgr Adolphe PROULX
Gilles PROVOST • Jean-Claude RAVET
Jean-Guy VAILLANCOURT • Solanges VINCENT

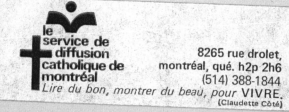

*Heureux
les artisans
de paix :
ils seront
appelés
enfants
de Dieu.*

(Matthieu 5, 9)

Préface

Ceux et celles qui liront les différents chapitres de ce volume profiteront, je n'en doute pas, de cette réflexion sérieuse sur les difficultés que rencontrent les artisans de paix. L'Église elle-même, par son magistère, a essayé à maintes reprises de présenter une position qui serait fidèle à l'Évangile. A-t-elle réussi? Les distinctions qui sont venues surtout avec saint Augustin et saint Thomas d'Aquin sur la légitimité d'une guerre juste a peut-être contribué à excuser les nations chrétiennes dans leurs extravagances militaires.

Nous avons été témoins de ces deux conférences épiscopales, celle de la France et celle des États-Unis qui ont présenté un enseignement interpellant, à cause surtout de l'armement nucléaire. Nous avons également un bon nombre de chrétiens qui militent d'une façon absolue en faveur de la non-violence. En réalité, le chrétien d'aujourd'hui est invité plus que jamais à vérifier son approche concernant la guerre et la paix!

Est-ce que la recherche de la paix, d'une manière permanente et qui ne souffre aucune exception, s'apparente à un idéalisme à la Don Quichotte ou à une utopie pour rêveurs? Pourtant, peut-on concevoir que l'homme est condamné à faire la guerre à jamais? La paix est fragile, nous en sommes persuadés. Il suffit de lire les journaux ou de regarder la télévision. Qu'est-ce qui menace la paix? Que veut dire le mot paix? Y a-t-il une conception universelle de la paix? Y a-t-il une conception chrétienne de la paix qui soit particulière? Si la paix est un bien si précieux, comment se fait-il que la guerre et la violence soient si présentes à notre monde?

Toutes ces questions nous assaillent à un moment ou à un autre, lorsque nous nous arrêtons et regardons ce qui se passe sur notre planète.

C'est Napoléon Bonaparte qui écrivait : « Il y a deux forces dans le monde, la force de l'épée et la force de l'esprit. La force de l'esprit finira toujours par vaincre la force de l'épée ». Un apôtre de la non-violence, Lanza del Vasto, disait : « Si la non-violence ne peut arrêter la guerre, rien ne pourra l'arrêter! » L'efficacité de la non-violence pour arrêter les guerres a été démontrée à plusieurs reprises et si l'on mettait autant d'acharnement à mourir pour la paix, qu'on en met à mourir à cause de la guerre, les résultats seraient plus spectaculaires encore.

De grands contemporains, Gandhi et Martin Luther King, ont illustré amplement que la non-violence « agressive » pouvait donner des résultats beaucoup plus humains et respectueux de la dignité de l'homme que toutes les entreprises guerrières.

Dans son document « Gagner la paix », la conférence épiscopale française en 1983 écrit : « ...à une époque de guerre technologique, l'analyse à partir de la non-violence et l'analyse à partir de la doctrine de la guerre juste convergent et concordent souvent dans leur opposition à des méthodes de guerre qui, en fait, ne peuvent se distinguer de la guerre totale. » Les évêques américains, dans un document qui a justement interpellé les décideurs américains écrivaient : « La guerre nucléaire constitue pour la doctrine de la guerre juste, comme pour la non-violence, un défi capital ».

Rares sont les personnes sensées qui préconiseraient maintenant l'utilisation de la bombe atomique (hydrogène, à neutrons) avec l'idée que l'on pourrait « gagner ». Mais il ne faudrait pas oublier que les armements classiques sont devenus très sophistiqués et que l'on continue la recherche pour l'utilisation de bombes chimiques ou bactériologiques.

Même si les évêques américains ont concentré leur étude et leur analyse sur la présence de l'armement nucléaire, leur jugement peut s'appliquer à toutes les armes modernes dont on fait usage dans les guerres modernes. Dans leur lettre pastorale « Le défi de la paix : La promesse de Dieu et notre réponse », ils disent : « Nous vivons donc aujourd'hui au milieu d'un drame cosmique ; nous possédons un pouvoir qui ne devrait jamais être utilisé, mais qui pourrait l'être si nous ne faisons pas marche arrière. Nous vivons avec des armes nucléaires en sachant que nous ne pouvons nous permettre de commettre une erreur grave. Ce fait illustre la précarité de notre position politique, morale et spirituelle. »

On ne peut parler convenablement de la paix sans mentionner les interventions parfois percutantes de Jean-Paul II à l'occasion de son voyage au Canada et à l'occasion de sa visite à l'ONU. À Edmonton, le Saint-Père a parlé de la paix liée à la justice. Il ne peut pas y avoir de véritable paix sans qu'il y ait un effort concerté pour la promotion de la justice. En utilisant le 25e chapitre de l'évangile selon saint Matthieu, Jean-Paul II a voulu parler « de la dimension universelle de l'injustice et du mal », du Sud qui « devient de plus en plus pauvre » et du Nord qui devient « de plus en plus riche. Riche également en ressources militaires avec lesquelles les superpuissances et les blocs peuvent se menacer mutuellement. » À Ottawa, le Pape lie les problèmes éthiques et religieux quand il parle de la paix. Il donne comme source de la paix le projet de Jésus lui-même et nous invite à vivre les Béatitudes en devenant davantage des assoiffés de justice qui œuvrent pour la paix. Il définit comme « un devoir humain, chrétien, apostolique » de participer à la recherche de la paix et de la justice.

Je suis heureux de recommander chaudement la lecture de ces réflexions sur la paix. La paix est fragile et toutes les bonnes volontés sont nécessaires pour assurer sa présence au milieu de nous. L'homme, la femme, surtout le chrétien, la chrétienne, doit être capable de reprendre la lecture des évangiles et d'épouser l'attitude des premiers chrétiens qui rejettent la guerre, même si leur vie pouvait être mise en danger.

Serions-nous capables de donner notre vie pour la paix comme des milliers de soldats ont accepté de donner leur vie à cause de la guerre ?

Mgr Adolphe PROULX
Évêque de Gatineau-Hull

Présentation

Les dépenses militaires mondiales atteignent près de 1 000 milliards de dollars par année. Quelque 60 000 engins nucléaires sont stockés de par le monde. Leur puissance représente 1 200 000 fois celle de la bombe qui a détruit Hiroshima en 1945. Elle équivaut à 4 tonnes de TNT par être humain. La Terre est devenue une immense poudrière.

Et pendant que l'on continue, jour après jour, de fabriquer des instruments de destruction, plus de 500 millions d'êtres humains sont affamés, 800 millions sont illettrés, 1,5 milliard manquent des services médicaux de base et 750 000 meurent chaque mois de maladies causées par une eau insalubre.

Nous en sommes là. Ce qui est sûr, c'est que ça ne peut plus continuer ainsi. Cette course folle vers l'abîme doit cesser avant qu'il ne soit trop tard. Il faut mettre de l'ordre dans ce désordre. Il faut refaire le monde. Ce n'est là ni utopie, ni idéalisme mais tout ce qu'il y a de plus réaliste puisque, si nous ne le faisons pas, nous nous dirigeons infailliblement vers la fin de l'humanité.

Mais comment refaire le monde ? N'est-ce pas une œuvre qui nous dépasse ? Cela paraît tellement gigantesque, hors de notre portée.

Devant l'ampleur du problème, on se sent comme écrasé, on est tenté de démissionner, de s'en remettre aux « grands » en se disant qu'il n'y a rien à faire et que, de toute façon, même si on fait quelque chose, ça n'aura aucune influence sur les gouvernements qui vont continuer de faire ce qu'ils veulent.

Devant une telle situation, il faut l'affirmer bien fort : la paix est possible et elle nous concerne tous. Tous, nous pouvons et nous devons faire quelque chose pour réaliser la paix dans le monde. Par une multitude d'actions modestes, à notre portée, dans chacun de nos milieux, maison, école, paroisse, travail. Hommes, femmes et enfants. Des plus jeunes aux plus âgés. Pour arrêter cette course insensée vers la destruction de notre planète, ce gaspillage éhonté des ressources de la Terre, on ne peut qu'opposer un fourmillement d'actions positives en faveur de la paix.

La paix est possible. Pour qu'elle se réalise, il faut la vouloir et prendre les moyens. Il faut la construire humblement, patiemment, résolument, avec amour, tendresse, persévérance, à la manière d'un artisan qui façonne son œuvre. C'est bien là ce que veut exprimer le titre de cet ouvrage : ARTISANS DE PAIX, qui est directement en référence aux Béatitudes de l'Évangile : « Heureux les artisans de paix : ils seront appelés enfants de Dieu » (Matthieu 5, 9). Le titre met ainsi en valeur deux caractéristiques importantes de cet ouvrage : il a été conçu dans une optique chrétienne et il est orienté vers l'action.

Ce livre se présente comme un manuel pratique, un outil à l'intention des artisans de paix. On y trouve des informations destinées à faire mieux comprendre la situation, des éléments qui permettent de former son jugement sur cette situation, et enfin, des orientations et des suggestions en vue de l'action.

ARTISANS DE PAIX a été élaboré par une vingtaine de personnes, des hommes et des femmes d'une compétence reconnue, déjà engagés dans la construction de la paix. Nous les remercions bien sincèrement pour leur collaboration et particulièrement les personnes qui ont fait partie du comité chargé de déterminer les grandes lignes de ce livre : Normand Breault, de Développement et Paix, Guy Paiement, du Centre St-Pierre, Montréal, et Nicole Riberdy, de l'Entraide missionnaire.

En cette fin du 2e millénaire, la paix dans le monde constitue un des enjeux fondamentaux de l'heure, sans doute le défi majeur posé à l'humanité et en particulier aux chrétiens. Nous sommes confrontés à un choix radical entre la vie ou la mort. Que cet ouvrage publié à l'occasion de l'Année internationale de la paix connaisse une large diffusion, qu'il soit un instrument utile et efficace entre les mains des ARTISANS DE PAIX.

Pierre DUFRESNE
Rédacteur à NOVALIS

L'humanité est placée devant un choix : désarmer ou envisager l'anéantissement.

(Ire assemblée spéciale de l'ONU
sur le désarmement, 1978)

Les vendeurs d'armes que nous sommes devenus

Guy PAIEMENT*

Il n'y a pas si longtemps, peu de personnes, au Québec, savaient que près de la moitié des usines d'armements de tout le Canada se trouvaient ici.[1] Vendeurs d'armes et politiciens cherchaient, d'ailleurs, à nous donner le change : la production d'armements crée des emplois. Beaucoup d'emplois. Elle développe notre expertise technologique. Car nos principales exportations de biens militaires proviennent des secteurs de l'électronique et de l'aérospatiale. Des secteurs de pointe ! Sans compter qu'il faut bien moderniser notre armée et la rendre capable de remplir ses engagements ici et en Europe. Ne sommes-nous pas membres de l'OTAN ? Ne faut-il pas assurer notre défense ?

---

* Jésuite, agent de recherche et de développement au Centre St-Pierre, Montréal.

1. Voir *Les usines d'armements au Québec ou des emplois pour la paix ?*, Montréal, 1983.

Plus loin que les prêts-à-penser

Tous ces arguments nous sont bien connus. Ils sont tellement répétés que nous pensons qu'ils sont « évidents », conformes à la réalité. Le tout est, d'ailleurs, tellement entouré de silence et de « mystère » que nous en arrivons à douter de notre bon sens. Qui donc pensera faire le poids devant la batterie de « spécialistes » de tout poil derrière laquelle se cachent, souvent, nos dirigeants ?

Malgré tout, la vérité commence, de plus en plus, à sortir au grand jour. Actuellement, nous ne sommes en état de guerre contre personne. Et pourtant, les budgets militaires grimpent d'année en année. La production d'armements qui est nôtre n'est pas d'abord destinée à notre armée et à notre défense. Seulement 18% de toute notre production va à nos forces armées. La majeure partie est vendue à l'étranger. *La vérité, c'est que le Canada est entré dans le club international des vendeurs d'armes.* Nous vendons des armes, avant tout aux États-Unis, très peu en Europe et, de plus en plus, aux pays du Tiers Monde. Le gouvernement déploie tous ses efforts pour mousser de telles ventes. Chaque année, le ministère des Affaires étrangères organise une « foire » internationale pour favoriser les ventes de notre matériel. Plusieurs ministères offrent de nombreuses subventions aux fabriquants d'armements pour les aider à moderniser leurs équipements et à répondre aux demandes de l'étranger. Environ 200 $ millions par année vont ainsi subventionner ce commerce international. Ce qui signifie, en creux, que c'est 200 $ millions de moins d'injectés dans les diverses régions du pays pour moderniser les industries qui en auraient drôlement besoin. Quand on dit que l'argent est rare et que le gouvernement n'a pas de fonds pour sauver une usine qui fait vivre toute une région, faut-il en rire ou en pleurer ?

Notre matériel militaire prend le chemin des États-Unis pour les 2/3 de toute notre production. Depuis 1958, il existe même un traité entre les deux pays qui supprime les droits de douane sur le matériel militaire et qui, surtout, amène le Canada à acheter autant des États-Unis que ces derniers achètent chez nous. Or, les Américains achètent

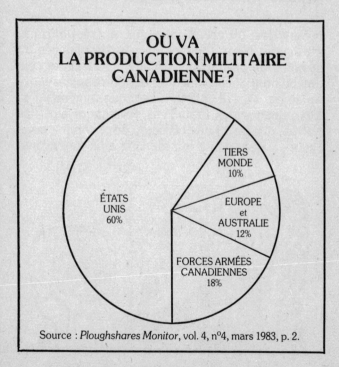

OÙ VA
LA PRODUCTION MILITAIRE
CANADIENNE ?

ÉTATS
UNIS
60%

TIERS
MONDE
10%

EUROPE
et
AUSTRALIE
12%

FORCES ARMÉES
CANADIENNES
18%

Source : *Ploughshares Monitor*, vol. 4, n°4, mars 1983, p. 2.

de plus en plus de notre matériel militaire. En fait, tout se passe comme si nous étions un peu dans la cour des États-Unis. Nous produisons, en effet, surtout des pièces détachées pour leur armement. Le tout est envoyé de l'autre côté de la frontière, assemblé et vendu un peu partout dans le monde. Cette situation crée une très grande dépendance de notre pays par rapport à nos voisins américains. Il suffirait que ces derniers annulent certains contrats militaires pour voir nos industries à haute technologie devenir gravement handicapées.

Quand on encourage la guerre des autres

Cette dépendance économique a, évidemment, des répercussions sur notre politique étrangère. Nous sommes de plus en plus liés au système de production militaire américain et cela amène nos gouvernements à adopter assez « spontanément » les orientations politiques américaines. Les ennemis des États-Unis deviennent ainsi les nôtres, que cela nous plaise ou non, comme nous l'avons expérimenté lors de l'invasion américaine

de l'Ile de la Grenade. En mars 1985, lors de la fameuse rencontre à Québec du président Reagan et du premier ministre Mulroney, ce dernier a spontanément donné son accord au projet américain de défense stratégique ou « guerre des étoiles ». Devant l'étonnement du parlement, qui n'en avait pas discuté, et devant un mouvement d'opposition qui a suivi d'un bout à l'autre du pays, le gouvernement s'est fait plus hésitant. Dernièrement, il décidait de ne pas participer officiellement à la recherche mais laissait les compagnies canadiennes d'armements libres de collaborer, si elles le désiraient. Or, c'est là un secret de polichinelle : les compagnies ne pourront pas faire affaire avec les États-Unis sans pouvoir compter sur l'appui, tant technique que financier, du gouvernement canadien.

Nos exportations s'en vont aussi vers les pays de Tiers Monde. Certains de ces pays violent ouvertement les droits humains et répriment toute opposition. Cela n'empêche évidemment pas les compagnies de faire affaire avec eux. Certes, le gouvernement peut faire état de certaines normes qui sont censées restreindre de telles ventes. Mais, dans la pratique, ces normes sont pleines de trous. Il est interdit de vendre directement des avions de combat au Honduras ? Pas de problème. Pratt & Whitney vendra ses moteurs d'avions au Brésil. Ce dernier s'en servira pour équiper des avions militaires qui ensuite aboutiront au Honduras[2]. Les affaires sont les affaires. Elles ne s'occupent pas de politique ! Ainsi sommes-nous de plus en plus intégrés dans le commerce international des armes

---

2. Voir *Ploughshares Monitor,* vol. 5, n° 3, septembre 1984, p. 13.

et cela n'a vraiment rien à voir avec notre propre défense ou avec la modernisation de notre armée.

Si, au moins, de tels investissements, de la part du Canada, rendaient notre économie plus forte et plus prospère. Mais, sur ce point, plusieurs économistes sont d'avis que la production militaire demeure l'un des investissements les moins productifs qu'un pays puisse faire.[3] Ces biens, en effet, ne sont pas durables, — ils sont faits pour être détruits! Les coûts en sont, de plus, très élevés et ils tendent à augmenter hors de tout contrôle. Quel que soit le prix final, le gouvernement paiera toujours la note, — le gouvernement, c'est-à-dire les millions de contribuables.

Des emplois pour la paix

Mais les emplois? N'est-il pas vrai que les usines d'armements créent des emplois? Aucun doute là-dessus. Pourtant, il faut ajouter tout de suite : *avec le même montant d'argent, nous pourrions créer jusqu'à deux fois plus d'emplois dans des secteurs non militaires!* N'y a-t-il pas quelque chose d'aberrant à attendre des emplois grâce à la production d'armements? Évidemment, il n'est pas question, ici, de s'en prendre aux personnes qui travaillent dans ces usines, il n'est même pas nécessaire de penser à fermer de tels endroits. Mais il nous faut commencer à travailler pour la paix et chercher concrètement comment nous pourrions *convertir les usines d'armements en usines de biens qui seraient utiles à la population?*

---

3. « L'économie et la course aux armements », dans *L'Événement*, journal du SCFP, vol. 7, n° 7, août 1984, p. 9-13.

```
MILLIERS D'EMPLOIS
(DIRECTS ET INDIRECTS)
CRÉÉS PAR UN INVESTISSEMENT
D'UN MILLIARD DE DOLLARS EN 1984


Missiles                        11 000 à 16 000

Contrats militaires             24 000 à 28 000

Contrats publics incluant
les transports en commun        28 000 à 30 000

Santé                           46 000 à 50 000

Éducation                       50 000 à 60 000


       (Source : U.S. Bureau of Labour Statistics)
```

Après la guerre de 1939-45, le gouvernement canadien a pu favoriser une ère de prospérité, au pays, en subventionnant la conversion des usines d'armements. En peu d'années, les gens ont pu avoir du travail, les usines pouvant compter sur des équipements et du personnel qualifiés[4]. Nous pourrions donc, aujourd'hui, convertir certaines usines d'armements pour leur faire produire des biens socialement utiles. Cela serait déjà assez facile pour plusieurs petites usines dont une part seulement est consacrée à la production militaire.

4. Voir Pierre BONNET, « La reconversion industrielle : des emplois pour la paix », dans *Relations,* n° 502, juillet-août 1984, p. 195-197. Du même auteur : « La paix, l'économie et l'emploi », dans *Relations,* n° 504, octobre 1984, p. 248-250.

LE COÛT D'UN F-18

(entretien, entraînement et pièces de rechange compris)

- équivaut au double du budget de l'Université du Québec à Trois-Rivières

- permet d'acheter 269 autobus (GM Classic) pour améliorer le système de transport en commun

- permet de faire fonctionner pendant un an tout l'énorme hôpital de Chicoutimi (641 lits, 2500 employé-e-s et cadres) et d'acheter en plus 8 millions de dollars d'équipement médical

- permet de dépolluer 4 fois la rivière Shawinigan

- de nourrir une famille de 4 personnes pendant 12 000 ans.

(Extrait du *Dossier sur le F-18*, Coalition pour le 19 octobre 1985)

Mais pour y arriver, il faudra une volonté politique et cette dernière n'est pas près d'apparaître sans un mouvement dans ce sens de la part de la population.

Que faire?

En somme, nous en arrivons à une étape où il n'est vraiment plus suffisant de jeter les hauts cris devant la situation. Nous sommes impliqués dans la vente internationale des armements. Soit. Mais comment changer ou encore réduire la situation?

Voilà bien la question. Dans un *premier temps,* il importe de faire connaître la situation. Que le plus de gens possible sachent que nous n'avons pas les mains nettes et que nos impôts servent à subventionner le marché des armes. En se servant de la brochure « *Les usines d'armements au Québec ou des emplois pour la paix?* », un groupe peut identifier, dans sa région ou dans son quartier, les usines d'armements qui s'y trouvent et entrer en contact avec les gens qui y travaillent.

Dans un *deuxième temps*, nous pourrions nous inspirer de l'exemple de la ville de Londres qui a mis sur pied une commission d'études sur la reconversion des usines d'armements. Nous pourrions aussi suivre l'initiative des ouvriers et des ouvrières de la Lucas Aerospace qui se sont organisés et qui ont imaginé une centaine de projets pouvant remplacer la production d'armements de leur usine.[5] Qu'on pense aussi à ce qui s'est passé, ici, en octobre 1985, où beaucoup de groupes ont demandé au gouvernement de constituer un fonds pour la création d'emplois utiles *à partir de l'argent que coûte un F-18.* Bref, travailler *pour* la paix, c'est faire appel à l'imagination de tout le monde et dessiner, peu à peu, trait par trait, une société différente où il ne sera pas nécessaire de gagner sa vie en produisant de armes qui engendrent la mort.

---

5. Voir P. ARNOFF, P. BONNET, M. JACQUES, A.Y. ROMPRÉ, S. STILLITZ, *L'emploi dans le naval au Québec : à quand la véritable relance ?,* Projet relais CSN, novembre 1983, 163 p.

Les armes nucléaires : protection ultime ou menace absolue ?

Solanges VINCENT*

Après les bombardements atomiques de Hiroshima et de Nagasaki en 1945, les scientifiques ayant participé à l'invention de la bombe atomique se divisèrent en trois catégories : les partisans de cette arme, les adversaires et enfin ceux qui tentèrent de rester neutres. Les partisans voyaient la nouvelle arme comme « protection ultime ». Les adversaires la dénonçaient comme « menace absolue » pour la survie de la planète. Les autres tentaient de s'insensibiliser au point de pouvoir oublier le potentiel destructeur de la bombe atomique.

Ces trois grandes catégories se retrouvent dans la population :

* Militante pour la paix depuis 1962, principalement dans le groupe *La voix des femmes*. A publié *La fiction nucléaire* (Québec-Amérique, 1979) et *Micro-technologie, Méga-chômage, à la recherche d'alternatives* (Action travail des femmes du Québec, 1982).

• Les *partisans* des armes nucléaires sont d'ardents propagandistes de la supériorité technique et scientifique dont la puissance assure la sécurité nationale, la protection ultime contre l'ennemi.

• Pour leur part, les *opposants* aux armes nucléaires voient dans ces engins une menace constante et terrifiante. Ils estiment que les politiques pro-nucléaires des militaristes, politiciens et fabricants, exercent un dangereux chantage terroriste contre les populations. Une épée de Damoclès suspendue au-dessus de leurs têtes.

• Quant à *ceux qui s'insensibilisent* pour ne rien voir, rien savoir, rien sentir, est-il possible d'y arriver alors que, tous les jours dans les médias, il est question de nouvelles armes de plus en plus complexes et dévastatrices.

Des armes pour la paix ?

Chaque nouveau pas dans l'escalade de l'armement est présenté aux populations comme étant essentiel pour mener à bien les pourparlers de paix. La paix par la force est le slogan favori du président des États-Unis quant il exige de nouveaux milliards pour sa machine de guerre. Reagan aime qualifier de « gardien de la paix » (*Peacekeeper*) le missile MX, une arme de première frappe pour mener une guerre nucléaire, pas pour l'empêcher. Il décrit son programme de la « guerre des étoiles » comme une protection totale contre une attaque nucléaire, alors que la plupart des scientifiques déclarent que c'est irréalisable.

Les États-Unis ont dépensé 1 500 $ milliards en armements de 1947 à 1984. Ils projettent de consacrer 1 800 $ milliards de 1984 à 1988. Cette somme pourrait monter jusqu'à 2 500 $ milliards si on inclut les dépassements des coûts habituels et les coûts cachés. En cinq ans, les États-Unis vont donc dépenser pour la guerre plus que dans les 37 années précédentes.

L'Union soviétique va tenter de rattraper les États-Unis mais elle n'a pas les ressources financières comparables à celles des États-Unis et elle va continuer de marquer des retards dans presque tous les systèmes d'armes.

Les États-Unis ont la supériorité ou au moins l'égalité dans 19 des 20 technologies qui vont influencer l'équilibre des forces dans les prochaines années. De plus, la qualité des armes américaines est égale ou supérieure à celle des Soviétiques dans 27 des 32 systèmes actuellement déployés sur terre, sur mer et dans les airs.

Actuellement, les États-Unis produisent cinq bombes nucléaires par jour. Ils planifient d'augmenter cette production à dix par jour pour atteindre leurs objectifs dans les prochains dix ans.

L'arsenal nucléaire de bombes, de vecteurs, de missiles et d'ogives, n'est que la pointe de l'iceberg atomique. Derrière tout cela, il y a toute l'infrastructure : des centaines de laboratoires, des milliers d'usines, des bases militaires, des centres de commande, de contrôle, de communication et de surveillance, des satellites, des sites d'essais.

L'escalade de l'armement : sécurité ou danger ?

Les propagandes des superpuissances tentent d'imposer la militarisation de la planète en décrétant que la paix sera acquise par la supériorité des armes. Ce n'est pas la paix qui est assurée par la supériorité des armes mais la domination. Historiquement la volonté d'hégémonie a déclenché une escalade de l'armenent qui nous mène au bord du précipice. Ce n'est pas la sécurité qui est assurée quand la planète devient une immense poudrière, c'est le danger d'un holocauste qui se rapproche. 800 $ milliards dépensés en 1984 pour des fins destructives nous ont empêchés d'affecter les ressources ainsi gaspillées à la solution des problèmes de la faim, de la maladie et des effroyables inégalités dans le monde.

Les partisans qui nous disent que les armes nucléaires nous ont évité la guerre, veulent dire en fait que la guerre a été épargnée aux pays riches qui sont allés tester leurs armes au Vietnam, en Afghanistan, au Liban, Irak, Iran, Amérique centrale, Iles Malouines, etc. Pour ne pas freiner le « génie » des scientifiques mercenaires qui inventent de nouvelles armes dans une course sans fin, des populations servent de cobayes et sont sacrifiées au nom du « progrès ».

Dans le domaine militaire, pour chaque missile, armement ou dispositif que les chercheurs conçoivent, construisent ou améliorent, il y en a d'autres qui, de leur côté, font le contraire. Pendant qu'on fait un char, un autre étudie comment le détruire ; pendant qu'on le blinde, un autre prépare une roquette capable de transpercer son acier pour aller exploser à l'intérieur. Pendant qu'on crée des bombes fumigènes pour cacher le char, on développe des dispositifs pour voir à travers la fumée, etc.

Il n'y a pas que la guerre nucléaire qui fait des victimes. Les préparatifs de cette guerre ont déjà fait 17 millions de victimes. En effet, les radiations engendrées par les essais nucléaires, la production des armes nucléaires, l'extraction d'uranium, le raffinage, l'enrichissement, les déchets radioactifs, les centrales nucléaires, le retraitement, le transport, ont causé cancers, malformations congénitales, décès, et ont contaminé le sol, l'eau et l'air de façon alarmante.

En outre, les dégâts physiques des préparatifs de la guerre nucléaire s'accompagnent de dommages psychiques profonds. Vivre à l'ombre des armes nucléaires engendre des conséquences graves sur la santé mentale. Les jeunes sont particulièrement touchés car ils voient leur avenir menacé. Plusieurs sondages révèlent une angoisse aiguë chez les jeunes face à l'accumulation d'armements de plus en plus destructeurs en puissance et en quantité.

Quand l'avenir est en péril, l'instant est privilégié. De là, chez les jeunes, la recherche

HIVER NUCLÉAIRE

Une guerre atomique plongerait la planète dans un « hiver nucléaire » qui pourrait être fatal pour l'humanité.

Un échange nucléaire, même limité, plongerait la terre dans des ténèbres telles que la vie disparaîtrait : l'explosion de têtes nucléaires transformerait les villes et les forêts en brasiers tels que la fumée et la suie cacheraient le soleil pendant des mois. Les températures baisseraient jusqu'à moins 20°C en été, d'abord dans l'hémisphère Nord puis plus au Sud avec le déplacement de la fumée au gré des vents. Le sol et l'eau gèleraient et la situation deviendrait invivable, les effets climatiques s'ajoutant à ceux des radiations.

Les quelques morts en sursis seraient condamnés à errer comme des zombies dans un monde de ténèbres glacées où toute forme de végétation et de vie animale auraient à jamais disparu.

Les États-Unis et l'URSS ont un arsenal de 12 000 mégatonnes. Or, un échange nucléaire d'environ 100 mégatonnes sur des villes serait suffisant pour déclencher l'hiver nucléaire.

d'expériences intenses animée par l'énergie du désespoir. Certains recherchent l'oubli, l'insensibilisation dans les différents modes d'évasion et d'autres l'immersion dans l'apocalypse au sein de sectes qui exploitent la peur et le besoin de salut.

L'augmentation rapide du nombre de suicides chez les jeunes est un autre indice de leur désespérance face au monde que les adultes vont leur laisser.

Les jeunes ont raison d'avoir peur quand ils entendent les faucons de l'administration Reagan dire que les États-Unis doivent s'armer pour mener une guerre nucléaire limitée ou prolongée, et la gagner.

Cependant, certains jeunes commencent à agir pour faire connaître aux responsables de la militarisation de la planète leur volonté de vivre dans la paix et la justice en désarmant pour développer le monde au lieu de le détruire.

Luttes pour le désarmement et la paix

Pendant des décennies, les propagandes nucléaires ont pu présenter l'arme nucléaire comme étant à la fois puissance destructive ultime mais aussi protection absolue. L'absurdité de cette contradiction n'est apparue à plusieurs que lorsque les Américains ont commencé à dire qu'il était possible de limiter à l'Europe ou au Moyen-Orient un échange nucléaire sans qu'il y ait représailles sur leur territoire.

Des Européens, conscients d'être coincés entre les missiles de l'Est et ceux de l'Ouest, n'étaient pas d'accord avec cette nouvelle doctrine d'utilisation des armes nucléaires à moyenne portée qui pouvaient faire disparaître l'Europe de la carte.

Plus globalement, les États-Unis et l'OTAN étaient passés de la doctrine de dissuasion à celle d'utilisation des armes de première frappe dans des guerres nucléaires limitées.

C'est en Europe que le grand mouvement d'opposition au surarmement a pris une ampleur à la mesure de la menace. En Angleterre, des centaines de milliers de personnes ont dit non à la politique de la première ministre Thatcher qui voulait que la population se prépare à survivre à la guerre nucléaire. La campagne avait pour slogan : « *Protect and Survive* » (Protégez-vous et vous survivrez), mais le mouvement pour le désarmement a rallié d'immenses foules autour d'un autre slogan : « *Protest and Survive* » (Protestez et vous survivrez).

En Allemagne, la grande majorité de la population était opposée à l'implantation de nouvelles armes nucléaires contrôlées depuis les États-Unis. Des millions de gens sont descendus dans la rue pour le faire savoir à leur gouvernement mais la soumission de celui-ci aux volontés américaines a bien démontré qui fait la loi au sein de l'OTAN.

C'est en juin 1982 que l'opposition des citoyennes et citoyens américains et canadiens à l'escalade nucléaire s'est manifestée massivement à New York : un million de personnes ont marché pour la paix à l'occasion de la Deuxième session sur le désarmement des Nations Unies.

Actuellement, particulièrement dans les mouvements de femmes pour la paix, on peut observer la volonté d'agir sur les causes et non seulement sur les effets de la militarisation de la planète. Les femmes constatent dans leur vie quotidienne les dégâts des dépenses militaires. Quand les gouvernements veulent puiser dans les pensions de vieillesse et les allocations familiales pour nourrir la machine de guerre, les femmes prennent conscience qu'il y a de puissants intérêts qui ne veulent pas de désarmement et de paix.

Quels sont ces intérêts? Aux États-Unis, 70 % des fonds de recherche et de développement vont aux nouvelles technologies militaires. On trouve ce qu'on cherche et on fabrique ce qu'on expérimente. Voilà pourquoi les industries de guerre obtiennent des subventions et des contrats alors que plusieurs industries civiles et des services publics nécessaires sont en voie de disparition ou de privatisation.

Produire pour la paix, non pour la guerre

Que faire pour passer d'une économie de guerre au service des fabricants à une économie de paix au service des gens? Ceux et celles qui veulent la paix peuvent proposer des alternatives : des produits utiles à fabriquer et des services nécessaires à substituer aux productions d'armements.

Cette conversion économique englobe la conversion des industries de guerre mais aussi la création de nouvelles entreprises et de nouveaux services. La lutte pour transformer les budgets de guerre en budgets de développement économique et social pour la paix est possible si les citoyens le veulent.

Il y a sur la Terre assez de ressources pour les besoins de chacun mais pas assez si elles sont mal distribuées ou si elles sont gaspillées dans des préparatifs de guerre ou si elles sont détruites dans des guerres locales ou des échanges nucléaires même limités.

RESSOURCES

Livres

M. KIDRON, D. SMITH, *Atlas du monde armé,* Calmann-Lévy, 1983.

J. FONTANEL, *L'économie des armes,* La Découverte/Maspero, 1983.

D.S. LUTZ, *La guerre mondiale malgré nous,* La Découverte/Maspero, 1983.

E. REGEHR, S. ROSENBLUM, *Canada and the Nuclear Arms Race,* Lorimer, Toronto, 1983.

Brochures

Les usines d'armements au Québec ou des emplois pour la paix ? Montréal, 1983.
On peut se procurer cette brochure à l'adresse suivante : Groupe de travail sur les usines d'armements au Québec, 853, rue Sherbrooke est, Montréal, Qué. H2L 1K6 (1,00 $ frais de poste compris).

L'arme de l'information, Groupe « La maîtresse d'école », 1985.

La militarisation, obstacle au développement, Développement et Paix, novembre 1983.

Revues

Le Monde diplomatique est une excellente source d'information sur la situation mondiale, les arsenaux et les doctrines militaires des grandes puissances. C'est une source en français dans une mer de publications en anglais.

Mouvement : Dossier sur la paix et le désarmement, automne 1983, Québec.

Vie ouvrière : Dossier sur le désarmement, juin 1984, Montréal.

La vie en rose : Dossier « Demain la guerre ? », janvier-février 1984.

Contretemps : Dossier « Hiver nucléaire », hiver 1985 ; Dossier « Guerre des étoiles », été 1985.

Audiovisuel

Plus jamais d'Hibakusha, Office national du film, 1983.

Si cette planète vous tient à cœur, Office national du film, 1983.
Film 16 mm ou vidéocassette, 26 minutes.
Documentaire tiré d'un conférence donnée par Dr Helen Caldicott, présidente de l'organisation canadienne *Médecins pour une responsabilité sociale.*

Speaking our Peace, Office national du film, 1985.

Pleins feux sur la militarisation, Développement et Paix, Montréal, 1981 (diaporama, 20 minutes).

Oui, mais il faut bien se défendre!

Dominique BOISVERT*

La défense d'un pays fait partie de ces questions qu'on ne se pose jamais et qui semblent « aller de soi ». Après tout, un pays sans armée, c'est quand même pas possible! Du moins, c'est ce que tout le monde pense. . .

Et pourtant. . .

Et pourtant oui, c'est une question qu'on devrait se poser et qui ne va pas de soi du tout. Car qui pourrait nous dire, tout de suite, quelle est la politique actuelle de défense du Canada? Et qui pourrait nous dire, précisément, par qui et quand cette politique de défense a été élaborée?

Voilà déjà que les « évidences » deviennent. . . moins évidentes! Et cela est important, car la défense d'un pays, ça concerne *tout le monde*, donc vous et moi, autant que le premier

---

* Marié, père de deux garçons, il est avocat de formation et travaille, depuis septembre 1985, au Comité consultatif sur le statut de réfugié (ministère fédéral de l'Immmigration), après avoir œuvré près de six ans à l'Entraide missionnaire, à Montréal. Ancien coopérant en Afrique, il s'est toujours intéressé de près aux questions internationales.

ministre, mon député ou le général en chef des armées.

Qui décide pour nous ?

Prenons un exemple.

Dans le cas de l'accord entre les États-Unis et le Canada pour tester le fameux missile Cruise, toutes les négociations ont été menées *en secret* entre les hauts fonctionnaires et les responsables militaires des deux pays, sans que le Parlement en soit d'abord informé.

Il a fallu les révélations de journalistes et une grosse bataille par les partis d'opposition aux Communes pour forcer le gouvernement canadien — libéral à l'époque — à informer le Parlement de la nature des accords qui étaient signés par nos deux pays au nom, pourtant, de « notre » défense.

Bien plus, l'accord qui a été signé (sans jamais avoir été discuté au Parlement) prévoit que les ententes conclues pour l'essai de certaines armes — comme le missile Cruise — en vertu de l'accord n'ont besoin d'être approuvées que par le ministre de la Défense ou son représentant, et que les renseignements portant sur les essais ne pourront être rendus publics que si les deux ministères de la Défense sont d'accord !

Ainsi non seulement nos représentant-e-s au Parlement n'ont rien à dire à ce sujet, mais ils peuvent même être tenus dans l'ignorance complète si telle est la volonté du ministère de la Défense. . . américain !

Un débat important. . .
qui n'a pas eu lieu

Le dernier débat canadien sur notre politique de défense remonte à il y a plusieurs dizaines d'années. Et bien peu d'entre nous s'en souviennent! Ce qui n'empêche pas notre pays de dépenser plus de 9,4 milliards de dollars en 1985-86 pour assurer notre défense, soit près de 10 % des dépenses fédérales.

Pourtant la défense est un sujet très important, où bien souvent les décisions sont prises *à notre insu*, et pas toujours par ceux et celles que l'on pense et qui ont été élu-e-s pour cela.

Mais. . . réjouissons-nous! Le nouveau gouvernement canadien nous promet, depuis son arrivée au pouvoir en septembre 1984, un livre blanc sur la défense, et donc l'occasion pour la population canadienne de connaître, et surtout de discuter et de définir, la politique de défense de notre pays. Ce sera là une occasion à ne pas manquer. . . car elle ne passe pas souvent!

Pourquoi se défendre?

Tout débat sur la défense (quand il a lieu!) tourne fondamentalement autour de trois questions :

1. Quelles sont le menaces contre lesquelles nous sentons le besoin de nous défendre?

2. Qu'est-ce que nous avons au juste à défendre contre ces menaces réelles ou supposées?

3. Quel prix (au sens large du terme) sommes-nous prêt-e-s à payer pour défendre ces valeurs contre ces menaces ?[1]

Comme on le constate, les questions sont très simples. . . mais les réponses un peu plus difficiles !

Essayons quand même d'esquisser certaines réponses, en forme de question. . .

Quelles sont les menaces ?

Il faudrait d'abord préciser si ce sont des menaces *réelles* (qu'on peut prouver) ou des menaces *perçues* (qui dépendent autant de nos perceptions que des faits objectifs) ; si ce sont des menaces *imminentes* (dans un avenir prévisible) ou seulement *potentielles* (possibles mais pas du tout certaines) ; etc.

Quelles sont donc ces « menaces » qui pèsent contre le Canada ? La première réponse qui vient généralement, ce sont les Russes = les communistes = les méchants = les « autres » ! Finalement, quand on y regarde de plus près, on se rend très vite compte qu'il s'agit d'une menace très diffuse, très « idéologisée », très instinctive, qui est basée beaucoup plus sur nos « peurs » collectives et sur nos préjugés que sur des faits concrets. Que l'on se comprenne bien : cela ne veut pas dire que les Russes ne peuvent pas être une menace ! Cela veut simplement dire que notre « peur des Russes » est basée au moins autant (sinon plus)

---

1. Ces questions sont empruntées à Christian Mellon, dans son petit livre remarquable *Chrétiens devant la guerre et la paix*, Le Centurion, Paris, 1984.

sur notre vision « idéologisée » du monde (« nous, les bons, défenseurs de la liberté et de la démocratie », contre « eux, les méchants, dictateurs de régimes totalitaristes ») que sur notre connaissance concrète de la réalité.

Cette vision très simpliste du monde (où tout est fondamentalement divisé entre « les bons » et « les méchants ») n'est pas uniquement notre responsabilité. Malheureusement, en matière de politique internationale — et donc de défense — tout est fait, surtout par les deux grands « blocs » (les Américains et les Soviétiques), pour entretenir et développer une telle vision des choses.

Et nos idées sur ce qui se passe dans le monde (au Salvador, en Pologne, au Liban ou au Vietnam, y compris aux États-Unis et en Union soviétique) sont beaucoup plus influencées qu'on le croit par les médias (radio, TV, journaux) qui sont largement utilisés pour alimenter une vision du monde qui encourage la confrontation plutôt que la compréhension et la détente. Sur cette question, voir le chapitre « L'arme de l'information », page 101.

Quelles sont les autres « menaces »? La bombe, le nucléaire, l'holocauste, qui sont des peurs relativement récentes, mais de plus en plus répandues dans la population, et surtout chez les jeunes ; mais aussi de la montée de la violence, avec toute l'insécurité qu'elle provoque dans notre société ; ou de la « crise » économique, de la crise des valeurs, de la crise de société que nous traversons. . .

Mais face à toutes ces « menaces », réelles ou supposées, il faut bien se demander si notre défense peut se révéler efficace ou même utile, et à quelle condition. Que vaut par exemple une armée contre le danger de « la bombe » ? Ou que valent les radars, les frégates ou les F-18 contre la montée de la violence ?

Qu'avons-nous donc à défendre ?

Si nous percevons des menaces, c'est qu'il y a *quelque chose* de menacé. De quoi s'agit-il au juste ? Là encore, on pourrait (et devrait) discuter longtemps. Mais juste pour amorcer la discussion, mentionnons certaines des idées qui reviennent le plus souvent. . .

D'abord, bien sûr, notre « liberté » : notre liberté de penser et de nous exprimer, mais aussi notre liberté économique et religieuse ; c'est-à-dire essentiellement tout ce qui tourne autour de la liberté individuelle qui veut que dans notre société, sous réserve de certaines règles, chacun peut faire ce qu'il veut, quand il le veut et comme il le veut (du moins, c'est ce qu'on craint de perdre si les menaces se concrétisent).

Ce qu'on veut aussi préserver, c'est ce système de valeurs qu'on baptise globalement de « démocratie », par opposition au « totalitarisme » (et on retombe encore dans la vision simpliste de « nous ». . . contre « eux »).

Mais derrière cette peur de perdre notre liberté et notre démocratie, se cache très souvent notre peur, beaucoup plus concrète, de perdre nos biens matériels, notre confort, notre niveau de vie.

Qu'avons-nous d'autre à protéger? La paix, bien sûr, mais que signifie bien souvent « notre paix », c'est-à-dire notre tranquillité (la paix pour tout le monde, idéalement, mais ne pas avoir de troubles nous-mêmes, minimalement, même si d'autres pour cela doivent en avoir).

Nos alliés, enfin, doivent être protégés. C'est à la fois un devoir de solidarité (comme au cours des deux grandes guerres mondiales) mais aussi un certain danger. Car on constate tous les jours que tous les alliés n'ont pas le même poids, n'ont pas non plus le même sens de la solidarité et que finalement ces alliances vont encore dans le sens d'une division artificielle, dangereuse et simpliste du monde en deux « blocs » (le Pacte de l'OTAN contre le Pacte de Varsovie).

Quel prix sommes-nous prêts à payer?

Il ne s'agit pas seulement, ici, de sommes d'argent, même si celles-ci sont très considérables, au Canada comme ailleurs.

Il s'agit tout autant des énergies que nous sommes prêt-e-s à consacrer à cette défense (par exemple, le quart de toute la recherche qui se fait dans le monde est consacré à l'armement et à la défense, et aux États-Unis, 70 % des fonds publics alloués à la recherche en 1982 l'ont été pour des programmes militaires ou pour la recherche spatiale dont on connaît l'importance du point de vue militaire), de notre propre implication (sommes-nous prêt-e-s nous-mêmes à défendre notre pays, dans l'armée ou autrement, ou voulons-nous seulement qu'il y ait une défense... pourvu que d'autres s'en occupent?!), des sacri-

fices que nous sommes prêt-e-s à consentir
(sommes-nous prêt-e-s à renoncer à certains
droits. . . dans le but de protéger nos droits?
lesquels?).

On constate bien souvent une attitude qui
ressemble à celle-ci : « Ça coûtera ce que ça
coûtera. . . pourvu que ça ne nous touche pas
trop! Nous sommes pour la défense. . . par les
autres (les Américains, le gouvernement, l'armée,
la police, etc.).

DÉFENSE NATIONALE
À LA HAUSSE

1980-81	5 millards $	(5,05)
1981-82	6 milliards $ (790 $ par famille)	(5,91)
1982-83	7 millards $	(6,963)
1983-84	8 milliards $ (9,6 % du budget fédéral)	(7,986)
1984-85	8,8 milliards $	
1985-86	9,4 milliards $	

En 5 ans, le coût de la défense nationale a presque doublé, passant de 5
milliards en 1980 à 9,4 milliards en 1985.

Sources : Les chiffres arrondis sont du *Devoir* (13/01/83) et de *La
Presse* (4/02/84 - 28/02/85).
Les chiffres entre parenthèses sont ceux de « *The Internatio-
nal Institute for Strategic Studies* » de Londres, « The
Military Balance », 1980-81-82-83-84.

Par contre, on commence de plus en plus à percevoir les coûts indirects de notre défense : peur de l'équilibre de la terreur, peur du futur ou même absence d'avenir dans l'esprit des jeunes, conséquences écologiques de la course aux armements, gaspillage éhonté des ressources, ingérence de plus en plus grande des États dans les vies privées, etc.

Une armée : pour quoi faire ?

Sans entrer à fond dans le débat sur la défense canadienne, on peut toutefois dire que *notre défense repose, pour la plus grande partie, sur notre armée et son équipement* (avions, chars d'assaut, navires, radars, armes, etc.). C'est d'ailleurs pour eux (l'armée et l'équipement) que nous dépensons la presque totalité de notre budget pour la défense. Et encore récemment, à l'automne 1984, quand le gouvernement a voulu réaffirmer son autorité sur l'Arctique, c'est par la construction du plus gros brise-glace au monde (au coût d'un demi-milliard de dollars) qu'il a choisi de procéder.

À quoi sert donc notre armée ? À maintenir la paix, comme chacun pense ? Certainement un peu, à tout le moins, entre autres par la participation régulière du Canada aux missions de maintien de la paix organisées par les Nations Unies.

Mais aussi à bien d'autres choses, auxquelles on pense moins souvent : à des opérations de secours en cas de catastrophes, à remplacer les policiers ou les gardiens de prison en grève, à empêcher la séparation du Québec (eh oui, cela fait partie des objectifs officiels de notre défense nationale), à fournir une « bonne école » pour le caractère et la discipline des jeunes, à fournir des emplois en période de crise économique, à défendre nos frontières[2], à lutter contre la subversion (interne : c'est-à-dire espionnage, mais aussi groupes qui contestent nos institutions), bref *à défendre notre sécurité*. Mais quelle sécurité ? Et définie par qui ?

Nous avons une armée, certes. Mais comme le montre le chapitre suivant sur le rôle du Canada, notre politique de défense est à toutes fins pratiques calquée sur celle de nos voisins du Sud et extrêmement dépendante de celle-ci. Avec, comme conséquence pratique, que notre armée comme notre équipement sont, à bien des égards, intégrés à l'intérieur d'une défense nord-américaine *dont nous n'avons aucunement le contrôle*.

Il n'y a pas lieu ici de développer cet aspect davantage sinon pour dire clairement qu'en tant que citoyen-ne-s, et à plus forte raison en tant que chrétien-ne-s, *il n'y a pas de fatalité qui tienne*. Cette dépendance envers nos puissants voisins n'est pas inévitable. Cette dépendance n'existe que parce que nous la tolérons. . . ou que nous la

---

2. Cela peut sembler évident, et mériter même la première place parmi les rôles de l'armée. Mais il faut se demander, de façon réaliste, quelle est la *capacité réelle* de notre armée de défendre nos frontières en cas de besoin : si la menace vient des États-Unis, notre capacité de réaction (à la fois pour des considérations techniques et politiques) est nulle, comme l'a bien démontré l'incident du Polar Sea dans l'Arctique à l'été 1985 ; si la menace vient des Soviétiques, il est très peu vraisemblable que l'attaque se fasse par des armes conventionnelles ; et en cas d'attaque nucléaire, notre armée, comme notre territoire, risquent beaucoup plus de servir de cibles et de champ de bataille pour Russes et Américains que de défense efficace de nos frontières. Si bien que cette fonction est beaucoup plus symbolique que réelle.

voulons. Il est possible de reconquérir beaucoup plus d'autonomie, comme en témoigne l'attitude du Mexique (l'autre voisin géographique du géant américain) ou celle de la France, de la Grèce, de la Hollande, etc. (d'autres alliés des États-Unis au sein de l'OTAN).

Se défendre par la paix. . . ou par la guerre ?

Quand on regarde concrètement l'attitude du Canada (comme de la plupart des autres pays, il faut bien l'avouer), nous sommes bien obligés de conclure que nous consacrons chaque année beaucoup plus d'argent et de ressources humaines et matérielles à nous préparer à la guerre qu'à construire la paix !

Comparons, par exemple, l'argent déboursé par le gouvernement canadien pour financer, dans les universités, des chaires « d'études stratégiques » et celui déboursé pour financer la recherche de solutions alternatives (non militaires) pour la résolution des conflits. Ou comparons l'argent consacré à la négociation des accords de désarmement. Ou comparons le budget du ministère de la Défense avec celui de notre ambassadeur canadien pour le désarmement. Etc.

Il n'est pas étonnant, dans un pareil contexte, que les alternatives non militaires soient beaucoup moins développées, et donc moins connues, et donc moins « populaires » que la bonne vieille approche militaire qui est la seule à être valorisée !

Pourtant, le Canada a une longue tradition de « moyenne puissance pacifique », spécialement au sein des Nations Unies. Sa réputation de (relative) neutralité politique dans les conflits internationaux, de même que sa participation à toutes les missions de paix organisées jusqu'ici par l'ONU, place notre pays dans une position tout à fait privilégiée pour exercer un leadership audacieux et résolu en matière de paix et de désarmement au sein de la communauté internationale.

Le débat prochain sur la défense, que veut provoquer le nouveau gouvernement conservateur, constitue pour le Canada une chance unique : allons-nous renforcer la tradition pacifiste du Canada, exercer ce leadership dont notre monde a tant besoin, et nous éloigner de plus en plus des solutions militaires ? Ou allons-nous au contraire consacrer des sommes de plus en plus considérables à la modernisation de nos forces armées, intégrer davantage notre défense avec celle de nos voisins américains et contribuer ainsi à la polarisation croissante des rivalités entre les « super-grands » ?

La question de fond

Ultimement, la question de la défense, comme la question de la paix, est *une question de justice*. Car la défense surgit toujours quand il s'agit d'arbitrer protéger un droit (bon ou mauvais, selon le point de vue des forces en présence). Il s'agit d'arbitrer des différends, des rapports de forces, des rapports de pouvoirs.

Et cela ne se joue pas qu'au niveau des nations. Cela commence au contraire au niveau de la vie la plus quotidienne, au sein de la famille, dans les lieux de travail ou de loisirs, dans le quartier, la ville, la province, le pays, Quand mon fils me demande pourquoi il y a la guerre, je lui réponds toujours qu'en fin de compte, c'est pour la même raison (mais avec des conséquences autrement plus considérables) que celle pour laquelle il se chicane avec son frère ou son voisin.

En cas de désaccord entre deux pays ou deux gouvernements, au sujet d'une frontière, d'un contrat, d'une politique ou d'un système économique, comment allons-nous arbitrer le conflit autrement que par la force des armes ? Et si la réponse à cette question se cherche encore laborieusement au sein de la communauté internationale, ce n'est pas une raison pour être découragé-e-s mais au contraire un appel à retrousser nos manches et à consacrer tous nos efforts pour développer des moyens pacifiques de résolution des conflits : l'Organisation des Nations

Unies (malgré ses nombreuses faiblesses), le Tribunal international de La Haye (malgré ses limites), les nombreuses Déclarations et Conventions pour la protection des droits, ce ne sont là que quelques-uns des moyens que les humains de cette planète ont commencé à se donner pour dépasser la loi de la jungle et du plus fort.

Imaginons, un seul instant, que seulement dix pour cent des sommes astronomiques qui sont englouties chaque année dans la course aux armements soient consacrées au développement de ces nouveaux moyens de résoudre les conflits.

Rêve en couleur ? Certainement pas pour des chrétien-ne-s, qui ont reçu de Jésus pour mission de rendre toutes choses nouvelles et de faire de cette terre un Royaume de paix, de fraternité et de justice.

SUGGESTIONS D'ACTIVITÉS

- Répondre en groupe (à l'école, en famille, à la paroisse, etc.) aux trois questions sur la défense posées à la page 35).

- Travailler en groupe à partir de la brochure *Notre défense et nous*.

- Identifier, à la maison, au travail, à l'église, dans notre groupe ou communauté :
  - toutes les situations concrètes qui impliquent des rapports de forces ou de pouvoirs et la façon de résoudre les conflits ;
  - toutes les situations qui impliquent des réflexes de peur et des réflexes de sécurité.

RESSOURCES

Livres

Christian MELLON, *Chrétiens devant la guerre et la paix*, Le Centurion, Paris, 1984, 222 pages.
Un outil d'information précieux pour tout homme, toute femme, chrétien ou chrétienne, désireux d'agir pour la paix.

Jean-Marie MULLER, *Vous avez dit « pacifisme » ? De la menace nucléaire à la défense civile non violente*, Cerf, Paris, 1984, 312 pages.

Parenting for Peace, Orbis Books.

Livre blanc sur la défense, Gouvernement canadien (quand il sera publié).

Brochures et revues

Notre défense et nous, Comité œcuménique sur la défense nationale, 1985.
Brochure de 16 pages spécifiquement sur ce sujet de la défense avec suggestions d'actions concrètes. Disponible à : Comité œcuménique sur la défense, 853 est, rue Sherbrooke, Montréal, Qué. H2L 1K6 Tél. : (514) 522-2455.

Éducation à la paix, Fiches du MIR-IRG, Belgique.

Bulletin *L'Evénement* du SCFP, Numéro spécial sur la paix, vol. 7, n° 7, août 1984.

Film

War, Office national du film.
Sept films d'une heure, en anglais.

Et le Canada. . . pacifiste ou militariste ?

Monique DUPUIS*

Ce qu'on entend

• Notre pays est neutre et pacifique. Il n'y a jamais eu de guerre ici. Notre armée est modeste et elle sert surtout à la défense civile ici et au maintien de la paix dans d'autres pays. C'est reconnu mondialement. D'ailleurs l'ancien premier ministre Pearson a reçu le prix Nobel de la Paix pour notre rôle de médiation dans la crise du canal de Suez en 1956.

• Le Canada respecte le droit international et il a les « mains propres » : il n'a jamais eu de colonies, ni fait de guerre au Vietnam ; il ne finance pas de dictature comme les États-Unis au Salvador et aux Philippines ; il n'a pas envahi la Grenade ni l'Afghanistan.

• Notre gouvernement milite en faveur du désarmement et a renoncé à l'arme nucléaire.

* Études de science politique et en relations internationales. Formàtrice au Centre de Formation Populaire, à Montréal. Impliquée dans différents organismes de solidarité internationale. Auteure de *Crise mondiale et aide internationale,* Éd. Nouvelle optique, 1984.

Et pourtant. . .

De plus en plus, on entend d'autres sons de cloche :

• Le Canada serait militariste : on nous parle de budget de défense, d'industrie militaire, de ventes d'armes à des régimes douteux.

• Notre pays ne serait ni neutre, ni autonome, mais tout à fait aligné sur les États-Unis : on nous parle alors des traités militaires commes l'OTAN et NORAD, et aussi d'un accord pour le partage de la production militaire qui nous lierait aux États-Unis pour le meilleur et pour le pire.

• Certains font ressortir les contradictions entre le discours officiel du Canada et ses votes à l'ONU, ou encore entre ses positions à l'ONU et ses agissements.

• D'autres disent que le Canada participe à la course aux armements et font allusion aux essais du missile Cruise et à la « guerre des étoiles ».

Comment départager le vrai du faux dans tout ce qui est dit de part et d'autre ? Une bonne façon de se faire une opinion éclairée, c'est d'examiner les *faits*.

EXAMINER LES FAITS

Un Canada pour la paix

L'image du Canada, à l'intérieur comme à l'extérieur du pays, est celle d'un apôtre de la paix. En effet, depuis la fin de la Seconde Guerre mondiale, le Canada a participé à toutes (treize) les opérations de maintien de la paix de l'ONU. Il s'est illustré par sa participation aux conférences, comités, et autres forums internationaux sur la paix, la limitation des armements et le désarmement. Il est signataire du traité de non-prolifération nucléaire. En 1984, le premier ministre Trudeau entreprenait une tournée des principales capitales du monde pour faire valoir le point de vue canadien concernant la paix mondiale. Cette image cache-t-elle une autre réalité ?

Un Canada pour la guerre

Des budgets énormes

De 1960 à 1976, le Canada a dépensé plus de 35 $ milliards à des fins militaires, se situant au 8e rang mondial. Le programme d'approvisionnement militaire prévoit d'ici dix ans des commandes atteignant les 20 $ milliards : avions de combat (les F-18), avions de patrouille, navires (les 6 frégates) chars d'assaut, systèmes aériens de surveillance, véhicules, etc.

Le ministère de la Défense nationale est le plus coûteux du budget fédéral même si plusieurs dépenses « militaires » sont effectuées par d'autres ministères. En 1978, par exemple, 90 % de toutes les subventions à la recherche industrielle

---

Au Canada, ces dernières années,
les dépenses militaires ont augmenté
quatre fois plus vite
que les dépenses sociales.

---

accordées par le ministère de l'Industrie et du commerce étaient réservés à la recherche militaire. Le budget de la défense a été l'un des rares à échapper à la vague de restrictions du nouveau gouvernement conservateur. Compte tenu de la taille économique et de la population du pays, *l'effort militariste du Canada est l'un des plus élevés et des plus intenses du monde.*

Nos exportations de matériel de guerre

L'industrie militaire canadienne a exporté pour 1,3 $ milliards en 1984, ce qui porte à environ 10 $ milliards nos exportations d'armes depuis 1960. Il n'y a que 18 % de toute notre production militaire qui sert à notre défense. 60 % est exporté aux États-Unis (mais ne s'y arrête pas toujours : voir l'encadré « Des chiffres trompeurs », page 52), 12 % en Europe et en Australie, et 10 % vers des pays du Tiers Monde (principaux clients : Argentine, Brésil, Chili). Une grande partie de ces ventes est effectuée par une société de la Couronne, la Corporation commerciale canadienne.

Moins d'emplois que d'autres secteurs

La production militaire emploie environ 50 000 personnes, surtout au Québec et en Ontario. Mais c'est une industrie de haute technologie qui, à investissement égal, crée deux fois moins d'emplois que la construction, les équipements de transport, l'énergie, et trois fois moins que la santé et l'éducation. L'industrie militaire et la recherche (subventionnée) qui y est associée, a plutôt pour effet de faire perdre des emplois dans d'autres secteurs.

Des chiffres trompeurs

Dans le domaine militaire, l'information précise est difficile à trouver et les chiffres peuvent être trompeurs. Voici quelques exemples :

•*le budget* du ministère de la Défense ne comprend pas toutes les dépenses militaires : routes et constructions pour l'armée (Travaux publics) ; recherche sur les satellites militaires et les radars (Communications) ; subventions à l'industrie militaire canadienne (Industrie et commerce) ; exportations d'armes (Corporation commerciale du Canada) ;

•*nos ventes d'armes* ne concernent que le matériel neuf ; les chiffres ne tiennent pas compte des armes usagées et des dons : par exemple, le Canada a donné récemment à la Turquie (dictature militaire) un stock de milliers de roquettes ;

•les ventes entre filiales de compagnies multinationales ne sont pas comptabilisées.

•*la destination de nos exportations* d'armes n'est que la première d'un long voyage parfois ; la plus grande partie de notre production s'en va aux États-Unis, mais ne s'arrête pas toujours là : le principal acheteur des États-Unis est Israël, qui, à son tour revend à l'Afrique du Sud, au Brésil, au Salvador, au Guatemala ;

•une grande partie de notre production militaire est comptabilisée comme matériel civil : des moteurs d'avions fabriqués à Longueuil par Pratt & Whitney (les P-2) s'en vont en Israël via les États-Unis, sont montés sur de petits avions militaires et vendus au Salvador via le Brésil. Des systèmes de surveillance très sophistiqués sont fabriqués par IBM à Bromont et équipent actuellement les deux principaux centres de détention et de torture du Chili. Des camions de Ford Canada, avec les supports prêts pour recevoir les mitrailleuses, sont livrés à l'Afrique du Sud. Tout ça, c'est du « matériel civil ».

Une production spécialisée, concentrée et dépendante

L'industrie militaire est hautement spécialisée dans l'aéronautique et l'électronique. Près de 50 % de cette industrie est installée au Québec. Moins de trente entreprises se partagent le gros des exportations et 50 % d'entre elles sont des filiales de compagnies américaines. (Canadair, Marconi, Litton Systems, Pratt & Whitney, MacDonnell-Douglas, CAE Electronics, Vickers, etc.). Même si le Canada a renoncé à utiliser l'arme nucléaire, il fabrique des composantes des armes américaines : des grues pour les sous-marins nucléaires Trident, le système de guidage télécommandé du missile Cruise, des pièces du système de lancement de la bombe à neutrons (celle qui ne détruit rien, sauf les humains), le bras de la navette spatiale américaine. Une petite entreprise montréalaise automatisée emploie quinze personnes et fabrique le poste de pilotage de l'avion F-16, avion de l'armée américaine.

Ce sera un grand jour
lorsque nos écoles
recevront tout l'argent dont elles ont besoin
et que l'armée de l'air
devra organiser une vente de chocolat
pour acheter un bombardier.

Course aux armements :
missile Cruise et « guerre des étoiles »

En juillet 1983, quelques mois avant d'entreprendre sa tournée « Initiative de paix » autour du monde, le premier ministre Trudeau autorisait officiellement les États-Unis à procéder aux essais du missile Cruise près de Cold Lake, en Alberta.

Le missile Cruise est un tout petit avion sans pilote, muni d'un système de téléguidage informatisé fabriqué en Ontario. Il peut atteindre, avec une très grande précision, une cible située à des milliers de milles de distance sans se faire repérer par les radars ennemis parce qu'il vole presqu'en rase-mottes. C'est une arme exclusivement offensive. Le Cruise constitue une très grave escalade de la course aux armements.

Avec le Cruise, c'est la fin du contrôle des armements puisqu'il est invérifiable. C'est aussi le commencement de la fin de la stratégie de dissuasion parce que le Cruise n'est pas conçu pour empêcher la guerre en intimidant l'ennemi, mais pour gagner (qu'ils disent!), pour prévaloir dans un échange global.

Le gouvernement canadien a consenti un octroi de 26,4 $ millions à la compagnie ontarienne Litton Systems pour financer le développement et la fabrication du dispositif de télécommande du missile Cruise. Il prête aussi son territoire pour les essais du missile.

En mars 1983, le président des États-Unis annonçait un nouveau programme : l'« Initiative de défense stratégique » (IDS), ou « guerre des étoiles ». L'IDS est un vaste programme de recherche/développement visant à déployer dans l'espace extra-atmosphérique des satellites et des armes au laser permettant de neutraliser à la source toute attaque éventuelle. Au printemps 1985, lors de sa rencontre à Québec avec Mulroney, Reagan a invité le Canada à participer a ce programme.

Au début de septembre, Brian Mulroney annonce que le Canada ne participera pas au projet américain de « guerre des étoiles ». Mais le premier ministre profite de l'occasion pour donner son appui moral au président Reagan pour que se réalise le projet. Les entreprises canadiennes sont invitées à s'y impliquer et à soumissionner pour obtenir des contrats. Peu après, le ministre de la Défense confirmait en Chambre le maintien des programmes de subventions aux entreprises liées au secteur militaire.

Les accords SALT[1]-I de 1972 avaient réussi à instaurer un certain équilibre entre les forces des deux superpuissances. La recherche sur l'IDS vient rompre cet équilibre et relancer la course aux armements parce que la recherche mène toujours à l'application pratique. C'est pourquoi le traité SALT de 1972 stipule que les parties contractantes « renoncent à mettre au point, à essayer et à déployer des systèmes anti-missiles ou leurs composantes, qui seraient basés en mer, situés dans l'atmosphère, dans l'espace ou mobiles à terre. »

En s'y engageant indirectement, la Canada participera à la plus grande course aux armes

---

1. SALT = *Strategic Arms Limitation Talks* (Pourparlers pour la limitation des armes stratégiques). Négociations entre l'Union soviétique et les États-Unis dans le but de contrôler la course aux armements nucléaires.

offensives et défensives, contredisant une des priorités fondamentales qu'il défend à Genève à la conférence sur le désarmement et qui est d'empêcher la course aux armements dans l'espace extra-atmosphérique.

Cette attitude contradictoire et ambiguë se traduit par les votes du Canada aux Nations Unies. Par exemple, en novembre 1984 alors que 111 pays appuyaient la proposition, le Canada était l'un des douze pays à voter *contre* un gel bilatéral et vérifiable du déploiement, de la production et des essais de nouvelles armes nucléaires. La raison officiellement invoquée : ne pas provoquer de tensions dans l'Alliance Atlantique. Pourquoi le Canada n'a-t-il pas adopté une position qui correspond à ses intérêts ?

SAVIEZ-VOUS QUE. . .

- que la décision de larguer les bombes atomiques sur Hiroshima et Nagasaki était une décision tripartite prise le 4 juillet 1945 par Washington, Londres et Ottawa ? Et que c'est le Canada qui a fourni l'uranium nécessaire à la centrale nucléaire d'Oak Ridge (Tennessee) pour faire les bombes ?

- que nous avons eu des armes nucléaires sur le sol canadien à Comox (Colombie Britannique), à Chatham (Nouveau Brunswick) et à Bagotville (Québec) jusqu'en 1984 ?

- qu'Ottawa a donné *secrètement* son accord à Washington en décembre 1981 pour l'essai des missiles Cruise sur notre territoire et que c'est seulement grâce à une fuite que l'opinion publique en a été informée ?

- qu'en vertu d'un accord cadre Canada/États-Unis, d'autres armes américaines pourraient être testées ici sans que le public ni la Chambre des Communes n'aient accès aux renseignements concernant ces essais ?

- que le Canada vend l'uranium et/ou de la technologie nucléaire à des pays qui ne souscrivent pas au traité de non-prolifération des armes nucléaires et dont certains s'en sont servis ou vont s'en servir pour fabriquer des armes atomiques (Inde, Argentine, Iran du Shah ?)

- qu'une des premières promesses électorales réalisées par Brian Mulroney a été d'engager 55 $ millions pour changer le modèle des uniformes de l'armée canadienne ?

- que la compagnie Space Research dans les Cantons de l'Est a fabriqué et vendu au gouvernement sud-africain des armes utilisées pour maintenir l'apartheid, et ce, en violation d'une résolution appuyée par le Canada à l'ONU.

- qu'une partie du napalm utilisé au Vietnam était fabriqué ici, à Valleyfield.

Une politique étrangère neutre et autonome ?

Le Canada n'est pas un pays neutre. Au contraire, il se proclame lui-même allié et ami des États-Unis et faisant partie intégrante du monde occidental. Par contre, il se veut souverain sur la scène internationale. Même s'il est généralement d'accord avec son puissant voisin, il arrive à l'occasion qu'il prenne des positions distinctes surtout lorsque ses intérêts commerciaux sont en jeu : le Canada a reconnu la Chine communiste avant les États-Unis ; il a maintenu ses relations diplomatiques et commerciales avec Cuba après la rupture violente entre Washington et La Havane ; il maintient actuellement ses liens avec le Nicaragua malgré le blocus américain et continue d'appuyer le groupe de Contadora et sa recherche d'une solution pacifique en Amérique centrale.

Un Canada aligné sur les États-Unis

Mais, pour ce qui est des questions de fond, le Canada n'a jamais été vraiment autonome en politique étrangère. Il est passé de la domination britannique à celle de États-Unis après la Seconde Guerre mondiale. C'est en 1941 que s'est faite la déclaration de Hyde Park qui stipulait que les États-Unis et le Canada devraient procéder à une intégration complète de leurs forces militaires sous le mode de l'interdépendance. *Mais l'interdépendance entre deux partenaires inégaux signifie la dépendance du plus faible.*

Après la création de l'OTAN en 1949 (voir encadré, p. 60) cette volonté d'intégration a entraîné la mise sur pied d'un réseau de radars longeant le 70e parallèle nord (Distant Early Warning ou ligne DEW), puis la création de NORAD en 1957-58 (voir encadré, p. 60) bientôt suivie des accords de partage de production de défense (DPSA) en 1959 (voir encadré, p. 61).

L'OTAN

Adhérer à l'OTAN, c'est devenir membre à part entière du Bloc de l'Ouest, c'est s'aligner sur les États-Unis et être ennemi des pays du Pacte de Varsovie (URSS et alliés). C'est aussi s'engager à augmenter d'au moins 3 % par an le budget de la Défense (inflation en sus), à stationner des troupes en Allemagne de l'Ouest, et à installer du matériel militaire en Norvège.

Les engagements sont lourds, mais subsiste un certaine marge de manœuvre. Les pays membres peuvent poser des conditions. Par exemple, la Norvège n'accepte pas de troupes étrangères sur son territoire en temps de paix ; le Canada, lui, a renoncé à être une puissance nucléaire dans le cadre de l'OTAN. (Ainsi, l'essai des missiles Cruise en Alberta ne relève pas de nos obligations envers l'OTAN, mais de nos liens de dépendance envers les États-Unis.) Il est possible aussi de se retirer de l'OTAN si nos vues sont trop différentes : c'est ce qu'a fait la France, qui s'est retirée de l'Organisation (OTAN) sans dénoncer le traité (l'Alliance) comme tel.

OTAN — 1949

L'Organisation du Traité de l'Atlantique Nord (en anglais : *North Atlantic Treaty Organization*, NATO) est fondée à Washington en 1949 par la Belgique, le *Canada*, le Danemark, les États-Unis, la France, la Grande-Bretagne, l'Islande, l'Italie, le Luxembourg, la Norvège, les Pays-Bas et le Portugal. Viennent s'y ajouter la Grèce et la Turquie en 1951, l'Allemagne de l'Ouest en 1955 et l'Espagne en 1982. L'Alliance Atlantique est un pacte régional de sécurité militaire qui assure aux Européens l'alliance de l'Amérique du Nord contre toute agression éventuelle de l'URSS. En 1966, suite à des divergences de vue avec les États-Unis, la France se retire de l'Organisation, tout en restant membre de l'Alliance. La Grèce prend une décision analogue en 1974. En réplique à l'OTAN, l'Union soviétique et les pays de l'Est fondent l'Organisation du Pacte de Varsovie, en 1954.

NORAD — 1957-58

Le NORAD (*North American Air Defence Command*. Le « A » de NORAD, qui signifiait « Air », signifie maintenant « Aerospace ».) est un accord, signé en 1957 lors de l'arrivée au pouvoir du gouvernement conservateur de Diefenbaker. Cet accord a permis de placer, en 1958, les forces aériennes et aéro-navales du Canada et des États-Unis sous un commandement unique, responsable devant les deux gouvernements. Le quartier général est situé à Colorado Springs, aux États-Unis.

NORAD dispose d'un vaste réseau de chaînes de radars et de satellites permettant l'alerte et l'évaluation rapide d'une attaque aéro-spatiale. Il est équipé de missiles anti-missiles balistiques opérés par les forces américaines. Le Canada, pour sa part, participe surtout à la détection/interception aérienne.

Le rôle de NORAD est de rendre difficile toute attaque surprise contre les missiles et bombardiers américains.

DPSA — 1959

L'Accord de partage de la production de défense (en anglais : *Defence Production Sharing Agreements*, DPSA) est signé peu après le NORAD. Semblable au pacte de l'automobile, il fait de la production militaire un secteur de libre échange entre le Canada et les États-Unis. Cet accord (renouvelé en 1975) intègre notre industrie au complexe militaro-industriel américain selon le principe de la sous-traitance : les systèmes d'armements sont conçus aux États-Unis et le Canada en fabrique des composantes. Par cet accord, le Canada s'engage aussi à participer aux coûts de recherche et au soutien technologique et financier des entreprises. Depuis 1963, l'accord nous force à acheter autant de matériel que ce que nous vendons à nos voisins. Le DIP (*Defence Industry Productivity Program* — 1959) est un programme fédéral de subventions à l'industrie militaire (près de 200 $ millions pour 1982-83).

L'intégration économique et militaire Canada/États-Unis : NORAD et DPSA

Le NORAD, c'est l'intégration militaire de la force aérienne sous commandement unique, responsable devant les deux gouvernements (Canada/États-Unis). Dans le cadre de NORAD, le Canada s'est engagé à moderniser le système de radars de la ligne DEW au coût d'un milliard de dollars ; à augmenter sa capacité d'interception en remplaçant ses anciens chasseurs par les F-18. La détection des missiles sera effectuée par une flotte d'avions américains AWACS, financée conjointement par le Canada.

À cause de cette défense conjointe, le Canada est de moins en moins autonome. Ainsi, le gouvernement Reagan a annoncé pour l'automne 85 l'installation au siège du NORAD (Colorado Springs) du commandement spatial intégré qui prendra en charge la coordination des moyens défensifs spatiaux et aériens. Bref, les États-Unis sont en train de faire du NORAD un élément du dispositif de la « guerre des étoiles ». Le Canada pourrait être amené à s'engager dans l'Initiative de défense stratégique (IDS) contre son gré.

L'Accord de partage de la production de défense (DPSA), c'est l'intégration économique de notre industrie militaire. C'est le libre échange des biens, de la technologie dans le domaine militaire. C'est la « standardisation » de l'équipement, donc le démantèlement d'une industrie militaire proprement canadienne et la spécialisation du Canada dans la fabrication de pièces détachées, expédiées et assemblées aux États-Unis. Cette dépendance économique entraîne une dépendance politique : les pièces produites sont inutilisables sans les systèmes américains ; nous ne pouvons vendre qu'aux « amis » des États-Unis qui sont forcément les « amis » du Canada. De plus, la coordination des matières premières et des réserves en vue de la défense commune signifie que les biens canadiens doivent servir *en priorité* à répondre aux exigences militaires des États-Unis plutôt qu'à satisfaire les besoins quotidiens des Canadiens. On a à ce sujet l'exemple du gaz d'Alberta qui fut exporté aux États-Unis pendant la guerre de Corée, alors qu'il y avait pénurie au Canada.

Un accord cadre a de plus été signé concernant les essais d'armes américaines en sol canadien (Canada — U.S. Test and Evaluation Program — CANUSTEP). Cet accord, qui a permis l'essai des missiles Cruise, n'a jamais été présenté au parlement ou débattu en comité. L'accord stipule que les renseignements portant sur les essais ne seront mis à la disposition du public que si les deux ministères de la Défense sont d'accord. Autrement dit, les Canadiens et même la Chambre des Communes pourront être tenus dans l'ignorance si le Pentagone le désire.

Le Canada se rend lui-même tellement dépendant qu'il perd de plus en plus de souveraineté et en vient même à tolérer les violations du droit canadien et international, si ces violations sont commises par son allié et voisin si puissant. Par exemple, la pénétration sans autorisation du navire américain Polar Sea dans les eaux territoriales arctiques à l'été 85 ; la virulente dénonciation par le Canada de l'intervention soviétique en Afghanistan, mais sa tolérance face à l'invasion de la Grenade par les États-Unis et face à son aide à la « Contra » du Nicaragua.

C'est volontairement que le Canada a adhéré à ces traités, a signé ces accords qui limitent dangereusement notre souveraineté. C'est volontairement aussi qu'il peut en sortir. Et c'est une opinion publique informée, consciente et têtue qui peut être le facteur déterminant dans la modification des ces politiques.

PRENDRE POSITION

Que nous disent les faits

Le public, dans l'ensemble, est *pacifique*, encourage les initiatives de paix et se méfie des attitudes agressives. Par contre, notre pays, dans sa politique extérieure et intérieure est *plus militariste* que pacifiste et essaie de profiter des guerres des autres (ventes d'armes, industrie militaire). Le Canada n'est pas neutre, mais aligné sur une grande puissance, les États-Unis. Le Canada est un allié volontaire (certains diront complice) qui s'est engagé par des traités militaires et des accords économiques. Mais cette alliance inconditionnelle avec une grande puissance crée une *dépendance profonde* qui contredit de plus en plus le désir de paix de la population canadienne.

Une politique incohérente

En tant que puissance moyenne le Canada pourrait avoir une politique beaucoup plus autonome, à l'exemple d'autres pays, moins dépendants malgré leur petite taille (ex. : pays scandinaves, Autriche, Mexique, Pays-Bas). C'est en partie la divergence des intérêts en jeu qui entraîne l'incohérence de la politique canadienne en matière de paix : les citoyens veulent une sécurité fondée sur la paix, les travailleurs veulent des emplois tandis que les entreprises veulent des subventions et des profits et que les États-Unis veulent un allié soumis et dépendant ; quant à nos gouvernants, ils veulent conserver le pouvoir en ayant des politiques qui correspondent à ces pressions diverses.

Quelle politique veut-on ?

Voyons les choses en face : on nous propose d'assurer notre sécurité en nous plaçant de plus en plus sous l'aile de notre voisin du sud. Or, l'ennemi de ce géant est notre voisin du nord, l'URSS. Le Canada n'a *aucune raison* d'être en conflit avec l'un ou l'autre de ses voisins. Mais en nous intégrant, sur les plans politique, économique et militaire aux activités des États-Unis, nous deviendrons pour cette raison, l'ennemi de l'Union soviétique.

En cas de conflit entre les superpuissances, la guerre se fera au-dessus de notre tête à cause de notre situation géographique. Mais si nous prêtons notre territoire et nos ressources à l'un des belligérants, nous devenons une *cible* pour l'autre. *On nous propose de servir de BOUCLIER des États-Unis.* Ce n'est pas ce genre de sécurité que nous recherchons.

Une véritable sécurité, pour nous, ne peut pas se fonder sur la menace et la peur, sur l'accumulation sans fin de moyens de destruction par nos deux voisins. Notre sécurité repose sur la paix, *une paix qui se bâtit au jour le jour*, qui est faite de justice, de coexistence pacifique, d'échanges et de respect mutuel; une société où les ressources servent à bâtir plutôt qu'à détruire. Bien. Mais notre pays a-t-il une marge de manœuvre? Quelles sont les alternatives possibles?

DES ALTERNATIVES
PLUS SÉCURITAIRES

Le Canada est une puissance moyenne, avec un grand territoire et une faible population. Si nous étions attaqués, nous ne pourrions jamais vaincre militairement l'une des grandes puissances. Et aucune superpuissance ne risquerait sa propre sécurité pour nous défendre contre l'autre. Notre sécurité passe donc par le politique plutôt que par le militaire, par la négociation plutôt que par l'usage de la force.

Voici quelques orientations générales qui pourraient permettre au Canada d'agir davantage selon les valeurs et les intérêts de sa population :

1. Ne pas se faire d'ennemis : viser la neutralité officielle

— protéger l'intégrité du territoire : pas d'armes, ni de bases ou installations militaires étrangères sur le territoire ; déclarer le pays « zone libre d'armes nucléaires » ;

— défendre notre souveraineté de décision : non-alignement entraînant la révision ou remise en question des traités et accords qui nous lient actuellement.

2. Gagner le respect de la communauté internationale

— respecter le droit international et dénoncer ses violations par quelqu'État que ce soit ;

— appuyer les organisations internationales commes les Nations Unies et y jouer un rôle indépendant, fondé sur les intérêts et les valeurs des Canadiens ;

— soutenir le progrès social et le développement humain partout dans le monde.

3. Contribuer à réduire les tensions

— jouer un rôle de médiation entre les deux Grands et favoriser la coexistence pacifique ;

Les ennemis de nos amis
ne sont pas nécessairement
nos ennemis.

— développer des relations économiques avec les deux blocs et favoriser les échanges culturels ;

— s'impliquer de façon plus concrète dans les organismes prônant le désarmement.

4. Démilitariser la société canadienne

— aller chercher le soutien de l'opinion publique dans ce processus en l'informant adéquatement ;

— amorcer la reconversion civile de l'industrie militaire : obtenir l'appui des travailleurs et de leurs organisations par le maintien ou l'augmentation des emplois ; s'assurer le soutien des entreprises par le maintien des subventions à la recherche/développement pour le secteur civil ; consolider l'appui du public par l'augmentation de l'offre de biens, donc la baisse de l'inflation ;

— allouer le reste des ressources ex-militaires au développement social et international.

Tout cela, ce sont des alternatives à moyen et à long terme. Pour s'engager dans ces voies, il faut commencer à gérer les enjeux actuels et à déterminer la position canadienne : face à la demande du gouvernement Reagan de participer à la recherche sur l'IDS (« guerre des étoiles ») ; face à la mise en place du commandement aérien unifié au siège de NORAD ; face aux plans récemment dévoilés visant à déployer des armes nucléaires et des bases anti-missiles sur notre territoire.

Qu'est-ce qu'on peut faire ?

En tant qu'individu, on peut facilement se sentir démuni et impuissant face à ces questions. Pourtant, l'action des individus et des groupes dans lesquels ils s'impliquent peut orienter et modifier la politique étrangère d'un pays.

Action individuelle

Chacun peut et doit faire sa part.

— La première chose à faire, individuellement, c'est de *prendre conscience du pouvoir que l'on a*, de la possibilité d'agir et de modifier des choses. Sortir du défaitisme. Par ailleurs, il faut comprendre aussi que rien ne change tout seul et qu'il faut que chacun s'implique, selon ses moyens, pour que les changements surviennent.

— *S'informer, se motiver, c'est déjà agir* ; on n'en sait jamais trop ; voir ce qui s'est fait avant, ce qui se fait ailleurs, tirer les acquis des expériences passées, ne pas toujours recommencer à zéro.

— Partager notre information, discuter, écrire des lettres à nos élus, aux médias, en parler en classe, dans notre milieu de travail, notre famille ; être à l'écoute des questionnements, des arguments des autres ; boycotter les jouets militaires pour nos enfants, leur faire comprendre que la violence et la guerre, ce n'est pas un jeu ; etc.

Le devoir des grands États
est de servir
et non de dominer le monde.

(Harry S. Truman)

Action collective

L'action individuelle est importante et nécessaire, mais elle est limitée. En participant à un groupe, à une organisation, il est possible de multiplier ses efforts, d'atteindre des résultats plus concrets. Il existe beaucoup de groupes qui, chacun à leur façon, travaillent à bâtir la paix (voir page 184). Ces groupes sont bien placés pour recueillir et diffuser de l'information et surtout pour *faire des pressions* sur nos représentants élus.

Que notre action soit individuelle ou collective, ce qu'il faut avant tout, c'est s'armer de patience, progresser lentement mais sûrement. On pourrait souhaiter que le Canada, demain, devienne neutre et pacifiste ; mais comme « la politique est l'art du possible », nos revendications peuvent proposer des étapes de transition, un changement graduel des politiques canadiennes en matière de défense.

Revendications

— Que le Canada applique ses propres décisions, comme la « stratégie de l'étouffement », c'est-à-dire l'interdiction de produire tout matériel nucléaire, de tester de nouvelles armes et secteurs stratégiques et la réduction des dépenses militaires ; le territoire canadien pourrait, petit à petit, être décrété « zone libre d'armements nucléaires », interdisant toute production et expérimentation ainsi que tout stockage ou passage d'armes nucléaires sur notre sol.

— Que le Canada prenne des engagements face à la communauté internationale, via ses votes à l'Assemblée générale des Nations Unies (par exemple *pour* un gel immédiat des forces actuelles, *contre* la militarisation de l'espace, *pour* la réduction graduelle des arsenaux des grandes puissances, etc.) et respecte ces engagements.

— Que le gouvernement pose certaines conditions lors du renouvellement des accords et traités qui entravent sa liberté et son indépendance, etc.

Les groupes peuvent suggérer d'autres objectifs à court et à moyen terme, et fournir des moyens de les atteindre. C'est *en s'impliquant* personnellement, chacun-e selon ses goûts, ses talents et ses disponibilités que l'on pourra contribuer à éviter la guerre, mais surtout à bâtir une paix durable fondée sur la justice.

Changer notre regard

La paix requiert un nouvel ordre international basé sur la justice et le respect de la dignité de la personne humaine. Trop souvent la justice est sacrifiée au nom de la sécurité nationale. On entretient un climat de peur et de suspicion en percevant « les autres » comme nos ennemis.

(Conseil mondial des Églises, Vancouver, 1983.)

RESSOURCES

Livres

Ernie REGEHR, *Making a killing, Canada's Arms Industry*, McClelland and Stewart Limited, 25 Hollinger Road, Toronto, 1975, 135 pages.

Murray THOMSON, Ernie REGEHR, *A Time to Disarm*, Harvest House Ltd, 1978, 38 pages. Disponible à Project Ploughshares.

Dossiers spéciaux

Vie ouvrière : n° 150, décembre 1980, et n° 178, juin 1984, sur la militarisation et le désarmement.

Les usines d'armements au Québec ou des emplois pour la paix ? Montréal, 1983.

L'événement, Revue du Syndicat canadien de la fonction publique (SCFP), vol. 7, n° 7, août 1984. Numéro spécial sur la paix.

« Des canons 'made in Québec' » : série d'articles de Gilles Provost, dans *Le Devoir*, 9 au 13 juillet 1980.

Publication spécialisée et accessible. . . en anglais

Ploughshares Monitor est une publication régulière (quatre fois par année) consacrée au rôle du Canada pour la paix.
Adresse : Ploughshares Monitor, Project Ploughshares, Institute of Peace and Conflict Studies, Conrad Grebel College, Waterloo, Ont. N2L 3G6 Tél. : (519) 888-6541.

Les Russes et nous

Gilles PROVOST*

« **O**n ne peut pas faire confiance aux Soviétiques. Ils veulent instaurer partout leur système communiste. Au besoin, ils utiliseront la force pour y parvenir.

La preuve? Souvenez-vous de l'Afghanistan, de la Pologne, de la Tchécoslovaquie et de la Hongrie!

Nous n'avons donc pas le choix. L'accroissement de notre puissance militaire est le seul moyen de défendre le Monde Libre contre 'l'expansionnisme soviétique'. »

Voilà le discours habituel des leaders occidentaux. À les entendre, Moscou étend chaque jour

---

* Journaliste au journal *Le Devoir* de 1969 à 1984, il est actuellement journaliste-interviewer à l'émission *Science-Réalité*, à la télévision de Radio-Canada. Il a été un des premiers au Québec à dresser un tableau de l'industrie militaire canadienne dans les médias francophones.

davantage sa domination sur la planète et nous sommes le petit bastion de la Liberté, assiégé de toutes parts. Un agneau pourchassé par le gros méchant loup, en quelque sorte.

À condition de ne pas tant caricaturer, l'argument a une certaine force : les interventions armées des Soviétiques sont indéniables. Et puis, qui d'entre nous peut savoir vraiment ce que pensent les Russes ou, à fortiori, les dirigeants du Kremlin ?

Il y a quand même des choses que l'on sait. Des choses qui permettent au moins de remettre tout cela dans un contexte réaliste. Prenons par exemple ce fameux « expansionnisme soviétique »... .

Qui sont les alliés de Moscou ?

Si on y regarde bien, très rares sont les *alliés* sur lesquels Moscou peut vraiment compter, en cas de coup dur. Et ils sont presque tous collés sur ses frontières. Enlevez ses *voisins immédiats* (l'*Europe de l'Est*, la *Mongolie* et. . . l'*Afghanistan*) et il ne reste plus que *Cuba* et le *Nord-Vietnam*.

À cela se rajoutent bien sûr quelques *pays* « *sympathiques* » *au bloc de l'Est*. Peu nombreux, encore une fois. Au Proche-Orient, la *Lybie*, la *Syrie* et le *Yémen*. En Asie, le *Laos*. En Afrique, quelques petits pays (*Éthiopie, Congo, Angola* et *Mozambique*). En Amérique, *aucun*, sauf peut-être le Nicaragua.

La sphère d'influence de Moscou a rétréci de façon dramatique depuis que ses relations se sont envenimées avec la Chine. Les deux grands pays communistes ont même frôlé l'affrontement nucléaire, en 1973!

En fin de compte, « l'expansionnisme soviétique » ressemble plutôt à un grand isolement politique et militaire. Le Kremlin est solidement encadré par la Chine sur son flanc sud et, le long de toutes ses autres frontières, par la puissante coalition qui réunit les deux Amériques, l'Europe industrialisée, le Japon et l'Australie. Et cette coalition peut compter sur la « sympathie » active de tous les autres pays de la planète.

Qui a des bases à l'étranger?

Aussi incroyable que cela paraisse, l'URSS est moins présente à l'étranger que la France. Cette dernière stationne environ 40 000 hommes hors d'Europe, dans la quinzaine de bases militaires qu'elle a conservées sur les territoires de ses ex-colonies. Elle y fait même des essais nucléaires. La Grande-Bretagne n'est d'ailleurs pas en reste, avec ses 17 bases réparties sur toute la planète, dans l'ancien réseau du Commonwealth.

Mais tout cela, c'est de la « petite bière » si on considère que les Américains disposent d'environ 520 bases militaires (terrestres, navales, aériennes ou de renseignement) dans 46 pays étrangers, dont 167 bases dans le Pacifique (où l'URSS n'en a aucune). Cela leur fait un demi-million d'hommes stationnés à l'étranger, dont 150 000 hors de l'Europe. Certaines bases américaines non européennes sont d'ailleurs dotées d'armes nucléaires stratégiques (capables de frapper Moscou ou le

cœur du dispositif militaire soviétique). C'est le cas notamment en Islande, en Turquie, en Corée et dans le Pacifique.

Pour sa part, l'URSS ne possède des bases militaires importantes qu'en Europe de l'Est, en Mongolie et en Afghanistan. Pour le reste, elle déploie environ 20 000 hommes chez ses autres alliés ou sympathisants mais elle n'y possède *aucune base navale ou aérienne*. (Elle peut cependant faire escale dans les ports et aéroports de Cuba, du Yémen et du Vietnam.)

Les Occidentaux ont donc l'entier contrôle des océans, grâce aux bases portuaires dont ils disposent un peu partout.

Comme disait de façon si imagée le général MacArthur, « le Pacifique est un lac américain ». Et le Secrétaire d'État américain, M. Caspar Weinberger, a clairement précisé l'attitude américaine à ce sujet devant le Sénat, en mars 1981 : « *Il ne s'agit pas là d'un domaine où les concepts d'équivalence ou de parité peuvent jouer. Nous devons avoir la supériorité navale.* »

Saviez-vous que certaines bases américaines, dans le Pacifique, ont un budget supérieur à celui du ministère de la Défense japonais ?

Qui a la plus grosse flotte ?

À en croire les chiffres, les Américains sont loin de la suprématie navale : leur flotte compte à peine plus de 400 navires de guerre tandis que les Soviétiques peuvent en aligner environ 1 200 ?

Regardons-y quand même de plus près : la plupart des unités soviétiques sont de si petite taille que le tonnage total de leur flotte vient loin derrière celui de la flotte américaine. Et si on élargit la perspective, on découvre que les unités majeures du Pacte de Varsovie (280 navires) ne représentent même pas la moitié du tonnage des 403 unités majeures dont dispose l'OTAN.

Par exemple, les plus grosses unités soviétiques, de la classe *Kiev*, font 38 000 tonnes, comme les cinq porte-hélicoptères américains de la classe *Tarawa*. On est loin des « vrais » porte-avions américains qui jaugent tous entre 80 000 et 92 000 tonnes.

Washington a 13 porte-avions et Paris en a deux. Combien Moscou en a-t-il ?

Réponse : AUCUN. Ses deux navires de la classe *Kiev* ne peuvent emporter que des hélicoptères et des appareils à décollage vertical, comme l'*Invincible* britannique. L'aéronavale française devance celle de l'URSS puisque le *Clémenceau* et le *Foch* portent chacun 35 chasseurs.

Malgré tout, le véritable handicap de la marine militaire soviétique vient du tout petit nombre de ports en eau profonde dont dispose l'URSS : basée à Vladivostok, sa flotte du Pacifique ne peut sortir de la mer du Japon que par le mince détroit que contrôle l'Occident entre le Japon et la Corée. Quant à son accès à l'Atlantique, il doit se faire depuis la région de Mourmansk (en se faufilant entre l'Islande et la Norvège) ou encore depuis Odessa, sur la Mer Noire (en se faufilant cette fois par le Bosphore et Gibraltar).

Autant dire que toute la flotte soviétique peut être embouteillée aisément dans ses ports dès le premier affrontement sérieux. Et comme Moscou n'a ni porte-avions ni base aérienne à l'étranger, le Kremlin est en mauvaise posture pour toute épreuve de force qui serait le moindrement éloignée de son territoire.

Qui sont les Bons et les Méchants ?

Évidemment, il ne suffit pas de montrer que « l'expansionnisme soviétique » est une faillite pour que les Communistes puissent automatiquement être considérés comme des anges inoffensifs.

Depuis 1945, les Soviétiques ont envahi un certain nombre de pays. Il y a aussi chez eux de nombreuses atteintes aux droits et libertés individuelles. Enfin, ils ont assez d'armes nucléaires pour détruire la planète, ne l'oublions pas ?

Mais là encore, il faut se garder de trop simplifier, comme si le conflit entre l'Est et l'Ouest était une lutte entre le Bien et le Mal, entre la

Vérité et le Mensonge, entre la Liberté et l'Oppression.

Contrairement à ce que l'on aime bien croire, la vertu n'est pas toujours du côté de l'Occident. Il suffit de lire toutes les révélations publiées ces dernières années sur la *Central Intelligence Agency* (CIA) pour découvrir que cet organisme ne respecte pas toujours les droits de la personne, lui non plus.

Il en va d'ailleurs de même pour la plupart des pays sud-américains dont on maintient le gouvernement au pouvoir. La Commission pour les Droits de l'Homme en Amérique Centrale rappelait récemment les 38 000 « disparitions » du Guatémala, les 6 000 du Salvador, les centaines du Honduras. Tout cela sans parler des tristement célèbres escadrons de la mort qui ont décimé le Brésil et l'Argentine. On ne peut pas davantage citer comme modèle de démocratie et de respect des droits de l'Homme le gouvernement militaire de Turquie (membre de l'OTAN où sont basées les armes nucléaires américaines les plus proches de Moscou).

Il semble aussi y avoir des ratés dans le culte de la démocratie dont nous nous parlons tant. Par exemple, c'est le gouvernement américain qui a renversé le gouvernement socialiste (légitimement élu) d'Allende, au Chili, qui a envahi la Grenade et qui consacre des centaines de millions de dollars au renversement du gouvernement légitime et socialiste du Nicaragua. C'est aussi lui qui a endossé le débarquement de la Baie des Cochons, à Cuba, et qui a organisé l'incendie du consulat cubain à Montréal, au début des années 70.

Le chantage économique

L'Occident a aussi d'autres cordes à son arc, pour étendre sa propre hégémonie. On sait comment l'arme de l'embargo économique a été utilisé en permanence contre Cuba depuis le renversement du dictateur Batista par Fidel Castro, comment elle l'a été contre le Chili et comment elle l'est contre le Nicaragua. Elle l'a aussi été contre la Pologne, quand les financiers américains ont bloqué les lignes de crédit international et menacé de mettre le pays « en faillite » pour obliger les autorités polonaises à faire des concessions vis-à-vis du syndicat Solidarité.

Saviez-vous qu'un Torontois, Gerald McCall, a été mis en accusation au États-Unis, en 1983, pour avoir exporté en URSS de la machinerie servant à faire des camions ?

Quoi qu'on en dise, le chantage économique est tout autant une entrave à la liberté que les pressions militaires. Et à cet égard, il faut rappeler la lourde dépendance du Tiers Monde à l'endroit des banques américaines et des organismes financiers internationaux qu'elles contrôlent. Selon l'OCDE, la dette du Tiers Monde non exportateur de pétrole a grimpé en dix ans de 160 $ milliards à 726 $ milliards. Déjà en 1974, le montant de leurs intérêts égalait la valeur totale de leurs exportations, c'est-à-dire environ le cinquième de leur produit intérieur brut (PIB). Il frôle maintenant la moité du PIB, surpassant de 60 % les exportations. Quelle marge de manœuvre ont des pays aussi endettés, vis-à-vis des USA ?

Même la course aux armements est souvent présentée en Occident comme un moyen d'obliger les Soviétiques à consacrer une part déraisonnable de leurs ressources à l'armement, au détriment du bien-être de la population de l'URSS. (Cela n'empêche d'ailleurs pas les mêmes personnes de soutenir en même temps que nos dépenses militaires sont un outil de développement économique et de lutte contre le chômage...) L'an dernier, d'ailleurs, des rapports internes de la CIA avisaient la Maison Blanche qu'il est illusoire d'espérer susciter ainsi un vaste mouvement de mécontentement anti-gouvernemental en URSS. Au contraire, cette surenchère de la course aux armements ne fait que renforcer l'insécurité de la population soviétique et renforcer leur appui aux militaires.

« Ils nous rattrappent ? »

Même si nos dirigeants prétextent toujours des progrès militaires de l'adversaire pour nous « vendre » leurs nouveaux programmes d'armements, la réalité est que l'Occident a eu le leadership en cette matière depuis 1945. Mais à chaque fois, les Soviétiques nous ont rattrappés.

Pendant la Deuxième Guerre, nous avons été les premiers à posséder l'arme atomique (et les seuls à l'utiliser). Dès 1948, nous nous tournions contre « l'allié soviétique » en stationnant en Angleterre 300 bombardiers B-29 dotés d'armes atomiques. La même année, les Russes faisaient leur premier essai nucléaire et ils mettaient en service, cinq ans plus tard, 300 copies des B-29, les *Tupolev-4*.

En 1954, nous inventions la bombe à Hydrogène... et les Russes en faisaient sauter une semblable l'année suivante, au moment où nous mettions en service nos premiers bombardiers intercontinentaux à réaction. Moscou devait suivre peu après avec 150 bombardiers intercontinentaux de son cru : 105 à hélices et 45 à réaction.

Plutôt que de suivre l'Occident dans la multiplication des bombardiers (on en alignait 2 100 dès 1960), l'URSS fait l'essai du premier missile intercontinental en 1957 mais elle ne pourra ensuite les déployer à un rythme rapide et n'en aura encore que 200 en 1965. Les Américains eurent leur premier missile avec un an de retard mais ils en alignèrent vite un plus grand nombre (plus de 1 700 pendant les années 60). Ils eurent aussi le monopole des sous-marins lance-missile pendant presque toute cette décennie.

Dès 1970, l'Amérique inventa aussi les ogives multiples et indépendantes pour ses fusées (les MIRV — *Multiple Independently targetable Reentry Vehicle*), ce qui lui permit encore une fois de prendre l'initiative puisqu'elle n'avait plus à multiplier davantage les fusées pour accroître sa puissance de feu. Quand Moscou suivra la même voie, à partir de 1975, l'Occident aura déjà pris l'avance en matière de précision des lanceurs. (Cela augmentait la vulnérabilité des installations soviétiques.)

La paix doit naître
de la confiance mutuelle entre les peuples
au lieu d'être imposée aux nations
par la terreur des armes.

(Concile Vatican II)

Et quand le Kremlin est parvenu à combler son retard en matière de précision, l'Amérique avait déjà entrepris de déployer 10 000 missiles de croisière, à la fois précis, mobiles et difficiles à détecter. Maintenant, l'URSS commence à son tour à déployer des missiles *Cruise* mais nous avons de nouveau repris l'initiative avec la « guerre des étoiles » qui devrait idéalement nous permettre de protéger nos missiles des engins ennemis. . . Moscou promet de faire de même.

Quelques pistes

Pendant la Deuxième Guerre mondiale, nous étions alliés aux « bons » Russes contre les « méchants » Allemands, Italiens et Japonais. Maintenant, les étiquettes ont changé.

En réalité, même les idéologies ont sans doute peu à y voir : l'URSS et la Chine sont toutes deux communistes mais nos relations s'améliorent avec l'une tandis qu'elles se détériorent avec l'autre.

Se pourrait-il que tout cela ne soit qu'une sale lutte pour le pouvoir entre les puissants de la planète, sans qu'un camp soit tellement « meilleur » que l'autre ?

Est-ce qu'il est raisonnable, dans le contexte que nous avons décrit, de perpétuer la psychose d'une attaque soviétique ? Ou de dénoncer toute action contre le militarisme occidental sous prétexte qu'il fait le jeu des Russes ?

Le Canada devrait-il prendre ses distances à l'égard des thèses que promeut son puissant voisin ? Peut-il se le permettre ?

Est-ce que l'intensification des échanges culturels et (surtout) économiques entre les deux blocs ne détendraient pas les relations politiques? (Par exemple, il devient maintenant difficile de concevoir une guerre au sein du Marché Commun européen. . .) Comment peut-on stimuler de tels échanges?

RESSOURCES

The Military Balance (annuel), International Institute for Strategic Studies (IISS), Londres.

Strategic Survey, IISS, Londres. Traduction française : *Situation stratégique mondiale*, Éd. Berger-Levrault, Paris.

World Armaments and Disarmament: SIPRI Yearbook (annuel), Stockholm International Peace Research Institute, London, Taylor & Francis.

The Defense Monitor (mensuel), Center for Defense Information, 122 Maryland Ave, Washington D.C. 20002 Tél. : (202) 543-0400.

World Military and Social Expenditures, World Priorities Inc., B.P. 1003 Leesburg, Virginia 22075 Tél. : (202) 337-4218.

Ploughshares Monitor (trimestriel), Institute of Peace and Conflict Studies, Conrad Grebel College, Waterloo, Ontario N2L 3G6 Tél. : (519) 888-6541.

Pas de paix sans de nouvelles relations Nord-Sud

DÉVELOPPEMENT ET PAIX*

L'Église veut continuer à s'engager résolument pour le développement de ces pays dits du Sud car c'est bien la meilleure manière de préparer les chemins de la paix, en faisant œuvre de justice et de solidarité fraternelle.

(Jean-Paul II, *Discours au corps diplomatique*, 14 janvier 1984)

Est-Ouest ou Nord-Sud?

Combien de gens réduisent encore le problème de la paix aux seules tensions Est-Ouest! Dès 1967 pourtant, le pape Paul VI désignait le développement comme « le nouveau nom de la paix » donnant ainsi priorité au sort des peuples du Sud sur la rivalité Est-Ouest[1]. « Déve-

---

* « Développement et Paix » a été mis sur pied en 1967 par les évêques du Canada. Il appuie financièrement des projets de développement dans les pays du Tiers Monde et promeut la solidarité des Canadiens/nes avec les peuples du Tiers Monde.

1. Encyclique sur le développement des peuples *Populorum Progressio*, n° 87.

loppement et Paix » est né de cette prise de conscience.

Même si certains croient que l'opposition entre les superpuissances constitue la principale menace sur le monde, Jean-Paul II nous redisait, à Edmonton, en 1984 : « Néanmoins, à la lumière des paroles du Christ, c'est le Sud pauvre qui va juger le Nord riche ». Il ajoutait que cette pauvreté était aussi « la privation de liberté et des autres droits humains ».

C'est dans l'Évangile même que se fonde, pour le Pape, la priorité à la justice à l'endroit du Tiers Monde. Jean-Paul II précisait de plus, toujours à Edmonton, que la domination du Nord avait double visage : économique et politique.

« Développement et Paix » partage cette perspective. Au Nord, la guerre n'est que menace. Au Sud, la faim et les armes tuent chaque jour plus de gens que durant la Deuxième Grande guerre mais tout cela se passe si loin du monde blanc. . .

Il serait stérile par ailleurs d'opposer les relations Nord-Sud aux tensions Est-Ouest car elles sont intimement liées. Les jeux du Nord sont largement responsables de la pauvreté au Sud et de son ombre : la répression

Les lignes qui suivent tentent de montrer :

— que le Nord « exporte » depuis longtemps au sud sa « paix » armée et son faux développement en présentant les alliances, les investissements et le commerce comme la recette (enfin !) d'un avenir meilleur et en lui permettant de faire prospérer les rivalités Est-Ouest aux dépens des peuples du Tiers Monde.

— que les chrétiens devront puiser dans l'Évangile une vision plus radicale de la paix et du développement pour ne pas répéter l'histoire des injustices et pour créer du neuf.

Un bref bilan des relations Nord-Sud

Malgré (À cause de ?) « l'aide » reçue, la situation des peuples du Sud s'est détériorée au point que des gens au Nord s'en découragent quand ils n'en rejettent pas la faute sur le Tiers Monde lui-même. D'autres, plus optimistes, reprennent le vieux proverbe chinois qui suggère que pour nourrir quelqu'un plus d'un jour, il faut lui apprendre à pêcher.

Leur apprendre à pêcher ?

Cette sagesse populaire ne va pas assez loin. Les pêcheurs et paysans du Tiers Monde savent pêcher et cultiver depuis des millénaires. Autrement, comment auraient-ils survécu ? Le problème ne serait-il pas qu'ils se soient fait enlever leur ligne à pêche, qu'ils aient été forcés de pêcher pour les besoins des autres, que les gros chalutiers aient vidé les mers ou encore que la pollution ait rendu toute pêche impossible ?

Hier : conquérir et coloniser

Tous savent qu'aux siècles derniers, les Européens ont conquis et pillé les peuples du Sud. Ils « importeront » même une main-d'œuvre de plusieurs millions d'esclaves africains en Amérique pour remplacer sur les plantations et dans les mines la main-d'œuvre indienne décimée.

L'asservissement indirect sera tout aussi impitoyable. En Tanzanie, les Allemands désigneront des zones de cultures d'exploitation et lèveront des impôts en argent. L'obligation de gagner un salaire forcera ainsi les Africains à abandonner leurs terres et à immigrer vers les plantations.

Après la Deuxième Guerre, le président Roosevelt lançait le slogan : *Peace through trade* ou la garantie de la paix par le commerce mondial. La formule cachait cependant que ces relations ne profitaient qu'aux plus forts, détournaient les peuples de leurs vrais besoins et les obligaient à un alignement désastreux sur les grandes puissances.

Aujourd'hui : investir et endetter

Au cours des 30 dernières années, les pays du Tiers Monde ont obtenu leur drapeau mais ont

Puisse le Dieu de la paix être avec nous ! Cette imploration évoque tout le drame de notre époque, toute la menace qui pèse sur elle. La menace nucléaire ? Certainement !

Mais bien plus : toute la menace de l'injustice, la menace qui émane des structures rigides de ces systèmes que l'homme ne peut percer — ces systèmes qui ne s'ouvrent pas pour aller vers l'homme, pour aller vers le développement des peuples, pour aller vers la justice et tout ce qu'elle suppose, pour aller vers la paix.

(Jean-Paul II à Edmonton, le 17 septembre 1984)

subi une colonisation modernisée qui a nom « développement ».

Supposant que le sous-développement n'était qu'un état de retard sur la route du progrès, les conquérants d'hier ont conçu un « développement » par en haut, fait sur mesure pour les besoins de croissance du Nord : un transfert massif de capitaux, de technologie et d'experts vers le Sud.

Séduites, les élites du Tiers Monde ont ouvert les portes aux investisseurs, aux prêts étrangers et au commerce international. Le développement n'est jamais venu mais seulement une dette de 900 $ milliards par laquelle les créanciers du Nord (FMI, Banque mondiale et banques privées) « tordent le bras » des gouvernements aux dépens des paysans et en faveur des transnationales qui font main basse sur les ressources du Sud.

Le Tiers Monde a été pris au piège du marché :

— des régions autrefois suffisantes et leurs paysan-ne-s qui ont faim nourrissent aujourd'hui le Nord : 34 $ milliards d'exportations en 1980 contre 22 $ milliards d'importations ;

— les opérations économiques font transférer du Sud vers le Nord 5 fois plus d'argent que l'inverse, même en comptant « l'aide » ;

— le prix des exportations du Tiers Monde ne cesse de baisser tandis qu'il doit payer plus chers les biens importés du Nord. Il doit donc produire plus et à plus bas salaire juste pour maintenir ses revenus et rester concurrentiel ;

— des compagnies comme Mattel (jouets)transfèrent leurs usines depuis les annés 50 pour courir après ces « aubaines ».

Quelle paix ?

Que viennent faire les tensions Est-Ouest dans ces relations injustes ?

Le Nord connaît deux problèmes : une course aux armements qui coûte très cher et une crise économique par manque de débouchés. Par un effet de boomerang, le Tiers Monde, trop longtemps appauvri, n'a pas les moyens d'acheter nos surplus.

Le Nord va quand même y vendre des armes à certaines dictatures pour faire « rouler » notre économie et se créer des « amis » dépendants là-bas. Ces régimes en ont besoin pour maintenir l'injustice qui leur profite aussi.

Le cercle est bouclé. L'exploitation du Sud finance la course aux armements du Nord qui à son tour militarise le Sud pour y protéger « la poule aux oeufs d'or » d'abord et pour y attiser des conflits locaux qui permettent à l'Est et à l'Ouest de s'y affronter par tiers interposés. Les superpuissances veillent ainsi à tuer dans l'oeuf tout développement qui s'écarterait des modèles convenus comme au Nicaragua ou en Pologne.

Le Nord va même avancer l'argent pour les achats d'armes. Pour rembourser ces prêts à même les revenus d'exportations, les paysan-ne-s et travailleurs/euses devront produire plus et donc payer les armes qui seront utilisées contre eux/elles. Quelle tragédie que celle de l'Afrique affamée

mais dépensant chaque année 11 $ milliards en fournitures militaires !²

Helder Camara appelle cela de la « violence institutionnalisée ».

La violence marchande et ses victimes

Comment interpréter cette situation ? À l'évidence, il ne s'agit plus d'apprendre à pêcher aux peuples du Tiers Monde mais de faire face avec eux aux obstacles violents qui les accablent.

Une nouvelle violence

« Paix » et « développement » ? Plutôt répression et maldéveloppement. Ces processus n'ont

---

2. Voir la prise de position de « Développement et Paix » : « La militarisation, un obstacle au développement ».

rien de naturel, mais sont provoqués. Ils convergent tous vers la *victimisation* des peuples du Tiers Monde.

La clé tient dans une révolution depuis quelques siècles à laquelle nous nous sommes habitués. Il s'agit de « l'économisation » de la société, c'est-à-dire de l'imposition du point de vue de l'économie sur toute considération sociale ou morale.

Le développement ne procède plus d'une évolution des besoins humains mais de l'obsession aveugle des gains financiers. Jean-Paul II rappelle que « la paix est menacée là où des êtres humains sont subordonnés à des intérêts préconçus et à l'ambition du pouvoir. . . là où la personne humaine est *victime* du progrès. . . au lieu d'être la bénéficiaire. . . »[3]

Les hommes se sont toujours fait violence mais avec l'essor du marché, celle-ci s'est faite plus subtile.

Dans les sociétés traditionnelles, par exemple, la nourriture ne servait pas à s'enrichir individuellement mais restait soumise à la solidarité sociale. Plus tard, elle deviendra une simple marchandise comme le sol, le travail et tout le reste. La possibilité de manger passera par la capacité de payer. Les sociétés de subsistance du Tiers Monde, détournées de leur production alimentaire, ne se sont pas remises de ce choc.

Dans les années 60, le mouvement de « monétisation » s'accélère car les investisseurs font entrer l'agriculture du Tiers Monde dans le

---

3. Discours à Şéoul, 4 mai 1984.

« panorama du profit » (E. Feder) et la font produire pour le marché mondial après avoir étranglé les paysans par des prix trop bas. Ainsi, l'Afrique exporte du coton en quantité record pendant qu'elle agonise.

La culture modernisée dans un contexte de surplus de main-d'œuvre s'avère catastrophique. Bas salaires, chômage de 40 %, absence de sécurité sociale et obligation de payer la nourriture n'offrent d'autre issue que la faim.

La logique marchande, omniprésente au Nord, a été transférée au Sud où elle nourrit mieux les capitaux que les gens. La dette du Tiers Monde obéit à la même logique. La légalité monétaire contraint à rembourser, fût-ce au prix de la malnutrition et de la mort des enfants.

La logique marchande se manifeste du quotidien jusqu'aux politiques qui encadrent notre société. C'est ainsi qu'en 1985, le Livre vert sur la politique extérieure du Canada ramenait nos relations avec les autres peuples aux seuls pôles de la concurrence économique et de la sécurité... la nôtre !

Débusquer l'idole

Si l'Évangile ne fournit pas un modèle « prêt-à-porter » de société, il peut cependant inspirer le scandale devant ces situations et indiquer une autre voie en nous apprenant à les voir du point de vue des victimes.

Le Dieu d'Abel assassiné, de Joseph vendu par ses frères, des prophètes rejetés, de Jésus

(Suite, p. 96)

Au lieu de gaspiller les richesses de la terre dans des industries de mort, il y a tellement d'autres choses à faire. . .

— Donner à manger aux affamés du monde.

— Assurer l'eau potable à tous.

— Venir en aide aux sinistrés (tremblements de terre, éruptions volcaniques, inondations, etc.)

— Fournir les soins médicaux à tout le monde.

— Donner à tous les enfants les vaccins indispensables.

— Construire des maisons pour les sans-abri.

— Construire des hôpitaux.

— Dépolluer l'air.

— Assainir les eaux.

— Alphabétiser.

— Construire des écoles en nombre suffisant et former leurs professeurs.

— Assurer la formation professionnelle des jeunes.

— Développer l'éducation des adultes.

— Organiser des programmes de réhabilitation pour les prisonniers, les délinquants, les victimes de la drogue, etc.

— Favoriser la vie sociale des handicapés moteurs, visuels, auditifs, intellectuels, etc.

— Supporter les petits fermiers.

- Développer une agriculture qui réponde aux besoins des gens de chaque pays.
- Développer des sources d'énergie renouvelables.
- Construire des usines pour recycler le papier, le verre, les déchets, etc.
- Construire des véhicules non polluants.
- Développer les moyens de transport : voies ferrées, routes, etc.
- Inventer des technologies peu coûteuses mais productrices de nombreux emplois.
- Mettre la science (médecine, physique, chimie, biologie, ingénierie, électronique, biotechnologie, etc.) au service des plus pauvres de la planète.
- Créer des emplois pour tout le monde.
- Rendre l'information accessible à tous par les mass media.
- Mettre sur pied des lieux de savoir et de culture : ateliers de création, centres d'art, bibliothèques, musées, etc.
- Favoriser la création artistique sous toutes ses formes.
- Construire des lieux de ressourcement spirituel et religieux.
- Financer les institutions internationales pour qu'elles puissent donner leur plein rendement : ONU, UNESCO, FAO, UNICEF, etc.
- Favoriser les rencontres interculturelles entre gens de divers pays.
- Etc., etc., etc.

Christ qui s'identifie pour toujours aux affamés, aux prisonniers, etc. (Mt 25), ce Dieu-là continue d'affirmer que l'oppression est incompatible avec la dignité humaine et la fraternité qu'Il a instaurées.

La Parole de Dieu révèle la logique marchande comme une logique de l'anti-solidarité, comme une logique « a-thée » puisqu'elle nie la volonté de Dieu et comme une logique de mort finalement, celle d'une idole monstrueuse réclamant toujours plus de victimes.

Pour renverser cette logique et « remodeler le système économique du monde entier »[4], Jean-Paul II propose d'abord aux chrétiens d'en toucher la cause ultime en réinjectant dans le monde la « conscience de la radicale fraternité des hommes et des peuples »[5]. Nous voilà bien au-delà des motivations de la peur, de la dissuasion et de l'intérêt qui n'ont rien à voir avec la gratuité de l'amour, seul capable de soulever le monde (Lc 6, 33).

D'une façon plus concrète, le Pape insiste sur la nécessité de réintroduire le point de vue éthique et le critère de justice dans les affaires humaines[6].

Pour cette tâche d'ordre moral d'abord, tous sont aussi compétents que les experts !

Changer le monde

La logique marchande a la « poigne » solide sur nos vies et la société. Ce qui est devenu un

---

4. Lettre au directeur de la FAO, 16 octobre 1983.

5. Homélie pour la Journée mondiale de la paix, 1er janvier 1984.

6. Discours au Japon, 24 février 1981.

« système » ne peut être transformé rapidement et sans résistance. La paix est une œuvre d'artisans. Elle requiert une action organisée inspirée par une nouvelle lucidité.

Nouvelle lucidité évangélique

L'Évangile qui a fait repérer l'idole peut aussi inspirer et nourrir une désobéissance aux faux-dieux qui se chauffent du même bois que l'injustice. La croix est la mesure de la solidarité avec les victimes comme de l'espérance car l'engagement pour la justice, jusque dans ses implications internationales, n'est pas affaire de sondage ou de loterie mais une façon de vivre.

De cet élan doit surgir une analyse nouvelle et indispensable de notre société et de ses rapports avec les autres peuples. Personnellement et collectivement nous devons discerner et modifier ce qui nous lie (même innocemment) à l'injustice ne serait-ce que par l'utilisation qui est faite de nos épargnes bancaires et de nos impôts.

Une fraternité efficace

Cette lucidité n'irait pas loin sans une « efficacité renouvelée de la fraternité universelle » selon les termes de Jean-Paul II.[7] L'action collective organisée est seule à la mesure du « défi de changer les structures économiques qui causent la pauvreté »[8]. La fraternité doit s'ajuster aux voies modernes de la violence devenues légales et plus complexes.

_____

7. Homélie pour la Journée mondiale de la paix, 1er janvier 1984.

8. Lettre des évêques canadiens à l'occasion du 10e anniversaire de « Développement et Paix ».

« Développement et Paix » (fondé par les évêques canadiens en 1967) constitue l'une de ces initiatives pour promouvoir une paix et un développement différents. Il faut partir des paysans et autres victimes elles-mêmes, appuyer leurs projets pour se nourrir eux-mêmes et lutter avec eux contre les mêmes obstacles. « Nous ne sommes pas des cochons à qui il suffit de jeter de la nourriture », dira Mgr Fragoso à propos des paysans brésiliens affamés par les grands propriétaires et le marché mondial, « nous voulons être traités avec dignité ». C'est le sens du programme de solidarité sur l'agro-alimentation que « Développement et Paix » a initié en septembre 1985 pour

QUESTIONS

— Comment sommes-nous concernés par les relations Nord-Sud? Connaissez-vous des exemples dans le secteur agro-alimentaire? Les emplois ici ont-ils quelque chose à voir avec le Tiers Monde?

— Comment l'Évangile peut-il nous interpeller pour des réalités aussi « lointaines »? Y trouvez-vous une vision qui puisse « révolutionner » les pratiques courantes vis-à-vis le Tiers Monde? Comment?

— Constatez-vous une parenté entre les valeurs et la façon selon lesquelles notre société fonctionne et nos relations avec les peuples du Tiers Monde?

— Où souhaiteriez-vous faire porter vos efforts? Avec qui?

plusieurs années à la demande des partenaires du Tiers Monde. Le marché nous fait déjà consommer leur production. Comment susciter des politiques plus justes à leur égard?

Pour « changer le monde », il faut s'organiser quelque part. Pourquoi ne pas créer une équipe de « Développement et Paix » dans votre communauté chrétienne, ou mettre celle-ci en contact avec une communauté de base du Tiers Monde pour se faire interpeller, ou encore l'intéresser à la cause de ceux et celles qui subissent le plus durement ici même les contrecoups de la logique du dollar?

Le mot « catholique » veut dire « universel ». Pour la première fois dans l'histoire, nous sommes à même de le rendre vrai en nous faisant proches des victimes quotidiennes des relations Nord-Sud. Où la Parole de Dieu qui « fait toutes choses nouvelles » parle-t-elle plus fort?

SUGGESTIONS D'ACTIVITÉS

- S'engager dans un groupe qui milite en faveur des droits humains et du développement.

- Participer à des campagnes d'appui organisées par « Développement et Paix ».

- S'engager dans une équipe locale de « Développement et Paix ».

RESSOURCES

Sur l'analyse des relations Nord-Sud par le biais de l'agro-alimentation

DÉVELOPPEMENT ET PAIX, Dossier sur l'agro-alimentation.

Jean-Pierre ALAUX, Philippe MOREL, *Faim au Sud, Crise au Nord*, L'Harmattan, Paris, 1985, 216 p.

Sur la militarisation

La militarisation, un obstacle au développement, Prise de position de « Développement et Paix », 8 p.

Sur l'engagement des chrétiens

Vincent COSMAO, *Changer le monde, Une tâche pour l'Église*, Cerf, Paris, 1985, 192 p.

Discours de Jean-Paul II sur les relations Nord-Sud, dans son homélie à Edmonton lors de sa visite au Canada.

Ces livres et documents sont disponibles à l'Entraide missionnaire, 15, de Castelnau ouest, Montréal, Qué. H2R 2W3 Tél. : (514) 270-6089.

L'animateur/trice de « Développement et Paix » de votre région est à votre service ainsi que le Secrétariat national, 2111, rue Centre, Montréal, Qué. H3K 1J5 Tél. : (514) 932-5136.

« Développement et Paix » publie un journal qui a pour nom SOLIDARITÉS. Pour le recevoir gratuitement, on n'a qu'à en faire la demande, par écrit ou par téléphone, à l'adresse ci-dessus.

L'arme de l'information

Gilles PROVOST*

« **M**oi, je n'écoute plus les informations, c'est trop déprimant ! »

— « Moi, j'achète les journaux surtout pour les pages sportives. Je lis aussi les gros titres pour savoir un peu ce qui se passe autour de moi. Mais, de toute façon, pour l'influence que je pourrais avoir. . . »

— « Moi, je ne comprends rien aux affaires internationales. Tous les politiciens sont des menteurs et je ne sais jamais quoi penser. Prends par exemple les négociations sur le désarmement entre les Russes et les Américains : il suffit que l'un dise blanc pour que l'autre dise noir. Va donc savoir qui a raison ! »

Des déclarations de ce genre, on en entend tous les jours. Bien sûr, il y a toujours là une part d'auto-justification, chacun s'excusant ainsi de ne pas faire l'effort qu'exigerait une analyse quotidienne des médias d'information.

---

* Notice biographique, p. 72.

Trop compliqué pour nous ?

Il faut dire aussi que les médias ne nous aident pas toujours à comprendre. Parfois, on ne sait même pas où sont les pays dont ils nous parlent ! D'autres fois, on lit un bon reportage sur un pays ou une région et on se fait une opinion. Ensuite, on lit par exemple une déclaration du président Reagan (ou d'un missionnaire qui en revient, ou. . .) sur la même région et on a l'impression qu'ils parlent d'ailleurs, tellement leur perception est différente. Alors, on reste désorienté et humilié de ne pas comprendre. On se dit que c'est trop compliqué pour nous.

Souvent, on nous fournit des informations dont on ne peut saisir la portée véritable, faute de connaître le contexte. D'autres fois, au contraire, on nous raconte des faits divers sans importance. Par exemple quand *Le Devoir* extrait des journaux polonais la mésaventure d'un pauvre commerçant victime d'un excès de zèle bureaucratique : il a été arrêté pour infraction aux lois locales qui interdisent la spéculation alors qu'il revendait simplement des petits pains (avec un modeste profit) dans un village où l'on n'en trouvait pas (*Le Devoir*, 17-7-85, p. 18).

Solidarité ou la CSN ?

D'ailleurs, avez-vous déjà remarqué à quel point on entend beaucoup parler de la Pologne dans nos journaux ou à la radio ? Depuis quatre ou cinq ans, il suffit que Lech Walesa éternue de travers pour que ça fasse les manchettes ! Pendant des mois entiers, on reçoit pratiquement plus de nouvelles du syndicat Solidarité que de nos propres syndicats locaux. Et toujours de façon admirative et louangeuse, à part ça ! Comment se fait-il que nos dirigeants et nos éditorialistes soient en admiration devant un syndicat qui revendique l'autogestion dans les usines et qui tente si ouvertement de renverser le gouvernement de son pays ? Il a même l'appui du président Reagan (qui n'hésite pas, chez lui, à mettre en chômage des milliers de contrôleurs aériens quand leur syndicat déclenche une grève illégale).

Saviez-vous qu'au Québec, 52 % des étudiants du Secondaire V ont entendu parler du conflit polonais mais que seulement 17 % connaissent le conflit du Salvador ?

Au printemps 1985, le groupe *La maîtresse d'école* a publié à cet égard un remarquable document pédagogique intitulé *L'arme de l'information*. En 1983, lors d'une recherche effectuée pour le compte de l'Association québécoise des organismes de coopération internationale (AQOCI), ce groupe d'animation pédagogique avait analysé comment les jeunes des écoles secondaires perçoivent les gens du Tiers Monde. Il avait noté non seulement de nombreux préjugés raciaux mais aussi une curieuse déformation des perceptions à l'égard des conflits en cours dans le monde :

—d'une part, les jeunes connaissaient beaucoup mieux les conflits où les Soviétiques sont impliqués que ceux où les Américains le sont ;

—d'autre part, ils avaient tendance à sous-estimer le rôle des Américains, au Salvador par exemple, et à surestimer celui des Soviétiques, notamment en Pologne.

La Pologne,
pire que le Salvador ?

Du 18 novembre 1983 au 18 janvier 1984, le groupe a donc analysé comment les quotidiens montréalais *La Presse et Le Devoir* décrivaient ces deux conflits.

Pendant ces deux mois, il y a eu au Salvador entre 730 et 930 assassinats politiques (souvent accompagnés de torture) et 800 morts au combat (dont un massacre de 117 habitants d'un village par l'armée salvadorienne). Il y a aussi eu abandon de la réforme agraire, annonce d'élections avec la candidature de D'Aubuisson (leader des escadrons de la mort et instigateur de l'assassinat de

Mgr Romero), des victoires militaires exception-
nelles de la guérilla et publication d'un rapport
judiciaire américain démontrant que le général
en chef de l'armée salvadorienne avait été impliqué
dans l'assassinat de quatre religieuses
américaines.

Pendant cette même période, il n'y a eu en
Pologne ni assassinat politique, ni torture, ni
combat mortel, le principal élément d'actualité
étant le procès des assassins du père Popieluszko
(un des très rares cas d'assassinat politique
survenu dans ce pays sept fois plus populeux que
le Salvador).

> *Se pourrait-il que nous soyons aussi « endoc-
> trinés » que les Russes, à notre insu et malgré
> notre grande « liberté de presse » ?*

Pourtant, *La Presse* a accordé treize fois plus
d'espace à la Pologne qu'au Salvador et *Le Devoir*,
trois fois plus. En outre, l'utilisation des titres et
des photos avait presque toujours pour effet de
susciter l'aversion pour la guérilla au Salvador et la
sympathie pour Walesa en Pologne.

En somme, la neutralité et l'impartialité de
notre information « en prend pour son rhume » !
Cette constatation est insécurisante parce que la
télévision, la radio, les journaux et les magazines
sont en quelque sorte nos yeux et nos oreilles pour
découvrir le monde. Et si on ne peut même plus
faire confiance à ses propres yeux, que deviendra-
t-on ?

Le filtre des agences

Heureusement, la même étude sur *l'arme de
l'information* avait aussi un aspect positif et

rassurant : l'information semble en effet beaucoup plus « objective » et nuancée lorsque l'article est rédigé par un journaliste local. Là où ça se gâte, c'est quand les informations proviennent des grandes agences de presse : *UPI/United Press International* et *AP/Associated Press* (américaines), *Reuter* (britannique) et *AFP/Agence France Presse* (française).

En fait, c'est la quasi-totalité de notre information internationale qui nous parvient à travers le filtre idéologique de ces grandes agences occidentales (ou à travers les images des réseaux de télévision américains).

Cela explique que l'on retrouve si peu d'information sur la politique étrangère du Canada dans nos médias. Quelles sont nos prises de position à l'ONU ? Quel rôle joue-t-on au sein de l'OTAN ? Quels commentaires notre gouvernement a-t-il à formuler sur les crises internationales ? Autant de sujets dont on n'entend jamais parler à moins qu'elles ne suscitent un débat majeur aux Communes.

> *Êtes-vous atteints par la propagande ? Pour le savoir, analysez les émotions que vous avez éprouvées en lisant le chapitre « Les Russes et nous, » p. 72. Les faits qu'il contient cadrent si mal avec les idées reçues qu'on demeure incrédule...*

Les pays du Tiers Monde deviennent de plus en plus conscients de la déformation de l'information dont ils sont victimes de la part des agences de presse des pays riches. Mais l'arme de l'information est trop puissante pour que les gouvernements s'en départissent facilement : les États-Unis ont préféré couper leur contribution à l'UNESCO plutôt que de laisser cet organisme international donner des suites concrètes au rapport MacBride de 1980 sur la nécessité d'instaurer « un nouvel ordre mondial de l'information et de la communication plus juste et plus efficace ».

Sommes-nous sans défense ?

Oui et non. Oui, parce que les manœuvres de propagande des gouvernements modernes sont si subtiles, sophistiquées et généralisées qu'il serait bien présomptueux de se croire invulnérable. Malgré tous nos efforts, nous serons toujours affectés dans une certaine mesure.

Mais en même temps, il nous est possible de reconquérir une bonne part d'autonomie, s'il est vrai qu'une personne avertie en vaut deux.

On peut par exemple aiguiser son propre regard critique en examinant mieux les médias qu'on utilise. Une bonne technique serait par exemple de se demander si on aurait accordé la même importance (ou absence d'importance) aux nouvelles majeures et aux entrefilets. Et est-ce que notre choix se modifierait si le rôle des protagonistes était inversé ?

En fait, il suffit d'aiguiser un peu plus la technique qui nous permet d'ordinaire d'évaluer la crédibilité d'une personne ou d'une information : notre confiance est d'autant plus grande que les nouvelles informations confirment ou expliquent bien ce que l'on sait déjà. En d'autres termes, plus on est renseigné et plus on peut avoir un regard critique.

Dans le domaine international, cela implique qu'on diversifie ses sources d'information, par exemple en s'impliquant dans des groupes engagés dans le Tiers Monde comme ceux qui font partie de l'*Association québécoise des organismes de coopération internationale (AQOCI)* ou encore en lisant plus assidûment des publications comme *Le Monde diplomatique* (disponible dans les grandes librairies).

Oui, on peut savoir !

Le domaine militaire est particulièrement intéressant à cet égard parce qu'il existe à travers le monde de nombreuses sources fiables (malheureusement presque toujours en anglais) qui permettent d'avoir « l'heure juste » sur la force des divers camps. Dans cette catégorie, on peut citer les documents publiés à Stockholm par le *Stockholm International Peace Research Institute* (SIPRI) et à Londres par l'*International Institute for Strategic Studies* (IISS) ou encore ceux, plus vulgarisés, diffusés à Washington par le *Center for Defense Information* ou au Canada par le groupe *Ploughshares*.

Ces publications sont disponibles dans plusieurs bibliothèques. Si elles ne le sont pas à celle que vous fréquentez, vous pouvez demander qu'on vous les procure. Le plus souvent on fera tout pour vous accommoder.

Oui, on peut comprendre !

Les documents de ce genre permettent de comprendre par exemple pourquoi les USA et l'URSS ont réparti si différemment leurs forces nucléaires stratégiques : démuni d'alliés sûrs dans le reste du monde, le Kremlin a stationné sur son territoire 70 % de ses ogives stratégiques, à bord de fusées intercontinentales. Parce qu'il n'a pas le contrôle des airs, il confie à peine 4 % de ses ogives aux bombardiers (de vieux appareils à hélices pour la plupart). Le quart qui reste est à bord de sous-marins mais les deux tiers d'entre eux demeurent amarrés au port en temps normal, une stratégie fort défendable quand toutes les mers sont contrôlées par l'adversaire.

Les Américains, eux, peuvent laisser circuler partout leurs sous-marins stratégiques et ils leur ont donc confié la moitié de leurs ogives stratégiques. Ils peuvent aussi placer un bon quart des ogives à bord de leurs bombardiers B-52 à très long rayon d'action. Cela laisse à peine le quart de leurs ogives sur les missiles intercontinentaux basés en sol américain.

Cette répartition très différente des armes stratégiques dans les deux camps devrait nous rendre très soupçonneux quand un orateur compare seulement certaines catégories d'armes plutôt que de prendre un portrait d'ensemble. Il est à l'avantage des Russes de discuter des bombardiers nucléaires (où ils sont faibles) tandis que les Américains voudront davantage discuter de missiles intercontinentaux, principale force de

---

Les guerres prenant naissance
dans l'esprit des hommes,
c'est aussi dans l'esprit des hommes
que doivent s'édifier les défenses de la paix.
(UNESCO)

---

l'URSS. Ce « détail » permet souvent de percer la propagande des deux camps.

Il est d'ailleurs fascinant de voir comment chacun manie la restriction mentale, laissant entendre des choses fausses sans jamais les dire formellement. Par exemple, on ne dira pas que les Russes sont plus puissants que nous; on se contentera d'affirmer qu'ils ont davantage développé leur armement depuis telle date. (C'est normal puisqu'ils s'affairent toujours à combler leur perpétuel retard.) Pour leur part, les Soviétiques ont souvent l'air modérés en réclamant une « parité de forces » avec les pays de l'OTAN. Depuis leur infériorité actuelle, cette parité représente un gain considérable. . . et c'est pourquoi l'Occident la refuse toujours.

On peut riposter !

Enfin, l'information est une arme dont personne n'a le monopole absolu. Il est possible, par exemple, d'envoyer des lettres ouvertes aux médias pour rectifier des informations, pour réagir à une nouvelle ou pour déplorer l'absence d'information en certains domaines. (Une lettre a d'autant plus de chances d'être publiée qu'elle sera *courte*. Et elle sera d'autant plus percutante que vous aurez mis vos *conclusions au début*.)

Enfin, dernier détail, vous pouvez augmenter vos chances de diffusion en faisant parvenir copie de votre lettre à un journaliste sympathique à vos idées ou encore au syndicat du journal auquel vous vous adressez. Il est plus difficile de museler une contribution valable au débat public quand la censure est trop visible. . .

RESSOURCES

L'arme de l'information, Groupe « La maîtresse d'école », 1985.
Disponible au : Centre de documentation de la CSN, 1601, Delorimier, Montréal, Qué. H2K 4M5 Tél. : (514) 598-2151.
1,00 $ plus 0,68 $ de frais de poste.

L'information internationale, Fédération professionnelle des journalistes du Québec, 1212, Panet, Montréal, Qué. H2L 2Y7
Tél. : (514) 522-6142.

Répertoire des organismes de coopération internationale du Québec, Association Québécoise des Organismes de Coopération Internationale (AQOCI), 1115, boul. Gouin est, Suite 200, Montréal, Qué. H2C 1B3
Tél. : (514) 382-4560.

Sean MacBRIDE, *Voix multiples, un seul monde*, UNESCO, Paris. Ce document a été résumé dans le n⁰ 21 de la revue *Antennes* du ministère des Communications du Québec, en 1981.

Michèle et Armand MATTELART, *De l'usage des médias en temps de crise*, A. Moreau Éditeur, Paris.

Abondante documentation sur l'ONU et le désarmement à l'adresse suivante : Association canadienne pour les Nations Unies (ACNU), 63, Sparks, Suite 808, Ottawa K1P 5A6
Tél. : (613) 232-5751.

Film

Distorsions, Florian Sauvageau et Jacques Godbout, Office national du film (ONF).

Shalom !

Paul-André GIGUÈRE*

Une des difficultés que rencontrent ceux et celles qui ouvrent la Bible pour la première fois, c'est que l'Ancien Testament parle beaucoup de la guerre. Comment un livre qui se présente comme la Parole de Dieu peut-il être si violent ?

« Chantons le Seigneur car il a fait éclater sa gloire : il a jeté à l'eau cheval et cavalier ! » Au cœur de la foi d'Israël, il y a le souvenir de la sortie d'Égypte, alors que le dieu d'Israël, Yahvé, combattit lui-même pour libérer les siens. Depuis, ce ne sont que combats : combats dans le désert, guerre de conquête de la Terre promise, guerres de Gédéon, de Samson, de Debora, guerres de Saül et de David contre les Philistins. Ajoutons-y l'expédition du pharaon Sheshonq, les escarmouches fréquentes entre Israël et Juda, les combats entre Israélites et Araméens, la guerre contre les Moabites, et enfin les prises de Samarie par les Assyriens et de Jérusalem par les Babyloniens. Pour couronner le tout, il faut mentionner ces deux livres guerriers que sont les livres des Maccabées.

---

* Bibliste et andragogue, il est professeur d'Ancien Testament à l'Institut de Pastorale des Dominicains à Montréal, après avoir travaillé plusieurs années au Centre Biblique de Montréal, à SOCABI (Société Catholique de la Bible) et à l'Office de Catéchèse du Québec.

Non, la Bible n'est pas un livre édifiant au sens habituel du terme. La Bible est un livre très humain. C'est la mémoire collective d'un peuple. C'est sa littérature choisie. On y trouve l'écho de tout ce qu'il a vécu, aussi bien les événements heureux que les moments difficiles. Mais la Bible est surtout la mémoire d'un peuple croyant. Un peuple qui a appris à déchiffrer, dans les événements, les signes de la présence de Dieu. Pour ce peuple, aucun événement n'est opaque au point que Dieu ne puisse y être rencontré. Pas même la guerre, aussi terrible puisse-t-elle être.

En réalité, au moment où nous nous mettons à l'écoute de l'Ancien Testament pour voir comment il parle de la paix, peut-être avons-nous de la chance qu'il y parle aussi de la guerre. Les peuples qui ont connu les horreurs de la guerre ne parlent pas de la paix comme les peuples qui ont été épargnés.

La paix, c'est bien plus que la paix

Quand la Bible parle de la paix, elle utilise un mot fort connu : SHALOM. Elle utilise aussi d'autres mots, moins fréquemment, le mot qui désigne le « repos » par exemple. Tenons-nous en au mot le plus répandu.

Le mot SHALOM signifie beaucoup plus que ce que nous appelons la paix. Pour nous, la paix, c'est essentiellement l'absence de guerre. Les Grecs de l'Antiquité parlaient de paix dans le même sens que nous. Les temps de paix succédaient aux temps de guerre. La guerre, tous savaient et savent encore fort bien ce que c'est. La paix, c'est plus difficile à définir. On peut dire avec assez de facilité que c'est le nom du temps où il n'y a pas de guerre. Mais pour les Juifs, dire SHA-LOM, c'est parler de beaucoup plus que d'absence de guerre.

Pour nous en faire une idée, on trouvera ci-dessous quelques versets de l'Ancien Testament. Le mot en *italique* dans chacun traduit le mot hébreu SHALOM. Cette simple lecture permet de mieux sentir toute la richesse du mot SHALOM.

« *Sois le bienvenu*, repartit le vieillard, laissse-moi pourvoir à tous tes besoins, mais ne passe pas la nuit sur la place » (Juges 19, 20).

« Seigneur, tu me guériras et tu me rendras la vie, mon mal se changera en *santé* » (Isaïe 38, 16-17).

« Mon fils, n'oublie pas mon enseignement, et que ton cœur garde mes préceptes, car ils augmente-ront la suite de tes jours, tes années de vie et de *bien-être* » (Proverbes 32).

« Tous tes fils seront instruits par Yahvé. Grand sera le *bonheur* de tes fils » (Isaïe 54, 13).

« Je répandrai *la paix* : la vigne donnera son fruit, la terre donnera ses produits et le ciel donnera sa rosée » (Zacharie 8, 12).

« Mon peuple habitera un séjour de *paix*, des habitations sûres, des résidences tranquilles » (Isaïe 32, 18).

« La *bonne entente* régna entre Hiram et Salomon et tous les deux conclurent un accord » (1 Rois 5, 26).

« Gédéon répliqua aux gens de Penuel : Quand je reviendrai *vainqueur*, je détruirai cette tour » (Juges 8, 9).

Quand on lit SHALOM dans le texte hébreu de la Bible, on sait qu'il peut désigner la sécurité éprouvée par l'étranger de passage qui se sent accueilli et protégé, la santé, le bien-être et la qualité de la vie, la prospérité économique, la stabilité politique, un accord de non-violence (de non-agression, dit-on aujourd'hui) ou même la victoire militaire. On n'est pas loin de risquer que SHALOM désigne ce que nous appelons le BONHEUR.

Tout comme nous, le peuple de la Bible a désiré le bonheur et, par conséquent, la paix. Certains aujourd'hui associent l'œuvre de guerre à la prospérité économique. « Ce qu'il nous faudrait pour régler le problème du chômage, c'est une bonne guerre », les entend-on dire. Cela, il faut bien le dire, n'a de sens que si l'on fabrique des armes pour faire la guerre. . . ailleurs. En réalité, il est impensable de connaître la prospérité et le bonheur en situation de guerre. La paix est une condition essentielle pour connaître la SHALOM dans toute sa plénitude.

Comment assurer la paix ?

On trouve dans l'Ancien Testament deux façons privilégiées de s'assurer la paix. La première, c'est la guerre. Eh oui. Quel meilleur moyen d'« avoir la paix » que de réduire ses adversaires au silence ? C'est ainsi qu'après que les partisans de David eurent éliminé Absalom et ceux qui avec lui avaient tenté un coup d'État, on peut dire de David qu'il « rentre en paix chez lui » (2S 19, 31). Le livre de Chroniques fait dire à David : « Yahvé votre Dieu vous a donné partout la paix puisqu'il a livré entre mes mains les habitants du pays et que le pays a été soumis à Yahvé et à son peuple » (1C 22, 18).

On le voit encore dans le cas du roi Jéroboam II. Son règne dura quarante ans. Un peu comme Ramsès II en Égypte et d'autres grands rois de l'Antiquité, il commença par mener un campagne militaire qui lui permit de reprendre le contrôle sur le territoire traditionnel de son royaume, qui avait été ravi à l'un de ses prédécesseurs, Jéhu. Après cette action d'éclat, Jéroboam II « eut la paix » et son royaume connut une abondance et même un luxe auquel le prophète Amos fait abondamment allusion.

La paix obtenue de cette façon est, faut-il le dire, toute relative et provisoire. C'est la paix du plus fort. Au premier signe de faiblesse du roi, les subordonnés s'agitent. Pourtant, en attendant, une certaine sécurité règne dans le pays. Mais on est bien loin de la plénitude de la SHALOM.

Les traités de défense mutuelle

L'autre façon de s'assurer la paix était de conclure des alliances, des accords de défense avec d'autres peuples. Dans ces accords, chaque partenaire s'engage à voler au secours de l'autre advenant que ce dernier soit attaqué. Malheureusement, le royaume de Juda était un tout petit pays, son territoire couvrant habituellement à peine plus de deux fois celui de l'île de Montréal. Il n'était pas question pour lui de conclure sur un pied d'égalité un traité de défense mutuelle avec des superpuissances comme l'étaient l'Égypte ou l'Assyrie. Lors donc qu'il concluait un traité de la sorte, la royaume de Juda se trouvait, comme par définition, dans un état d'infériorité. Il devait payer cher la protection qu'il recherchait. Cela comportait normalement une redevance financière assez importante, payable annuellement au peuple protecteur. Cela pouvait aussi comporter qu'on honore une ou plusieurs de ses divinités.

La paix était donc achetée à grand prix, et il n'était même pas sûr qu'on soit effectivement bien protégé. À cette époque comme aujourd'hui, les grandes puissances ne dédaignaient pas de s'affronter par petites puissances interposées. On pouvait abandonner à son sort le petit peuple quand on ne trouvait plus son intérêt à le défendre.

Placé dans une situation stratégique sur le chemin qui unit les deux grandes puissances du monde oriental d'alors, l'Égypte et l'Assyrie, et plus tard la Babylonie, le royaume de Juda fut la marionnette de l'une et de l'autre à tour de rôle, s'alliant tantôt à l'une, tantôt à l'autre.

Les prophètes ont toujours vivement dénoncé ces alliances. Pourtant, nous pouvons estimer aujourd'hui comme en ce temps-là que ces alliances étaient objectivement nécessaires, qu'elles pouvaient suffisamment intimider un éventuel conquérant pour avoir, pendant un temps au moins, un effet réel de dissuasion. Qu'est-ce que les prophètes reprochent donc à cette façon de rechercher la paix?

La paix est le fruit de la justice

Quand les prophètes dénoncent les alliances militaires, ils évoquent surtout deux raisons. La première, c'est qu'on tire une confiance et un sentiment de sécurité qui devraient se fonder plutôt sur la foi en Dieu. Autrement dit, ces alliances sont le signe qu'on manque de confiance en Dieu et en sa fidélité à son alliance et à ses promesses. « Malheur à ceux qui descendent en Égypte, y chercher protection, et qui mettent leur espoir en des chevaux, qui mettent leur confiance en une charrerie nombreuse et dans une cavalerie importante, mais qui n'ont aucun espoir dans le Saint d'Israël et ne consultent pas Yahvé » (Isaïe 31, 1). « C'est un double méfait que mon peuple a commis : ils m'ont abandonné, moi, la Source d'eau vive, pour se creuser des citernes, citernes lézardées qui ne tiennent pas l'eau. (. . .) À quoi bon partir en Égypte pour boire l'eau du Nil ? À quoi bon partir en Assyrie pour boire l'eau du Fleuve ? Comprends et vois comme il est mauvais et amer d'abandonner Yahvé ton Dieu et de ne plus trembler devant moi » (Jérémie 2, 13. 18-19).

L'autre raison pour laquelle les alliances militaires sont dénoncées, c'est qu'elles ne sont pas le chemin de la véritable SHALOM. Quel est-il donc, ce chemin ? Ce que tant de fois les prophètes appellent « le droit et la justice ». Voilà le chemin de la SHALOM dans toutes ses dimensions. « La justice produira la paix, et le droit une sécurité perpétuelle. Mon peuple habitera un séjour de paix, des habitations sûres, des résidences tranquilles » (Isaïe 32, 17-18). Or on sait avec quelle insistance les prophètes d'Israël ont dénoncé l'injustice et l'oppression des pauvres sous toutes ses formes. Pour les prophètes de la Bible, les accords de défense sans une action énergique contre l'injustice sont aussi illusoires que les pratiques liturgiques quand elles donnent bonne conscience au point qu'on en oublie la lutte pour que règne le droit.

Attention aux prophètes de bonheur

Personne n'aime être dérangé. On n'écoute pas volontiers ceux qui démasquent les fausses sécurités que l'on se donne si facilement. Il est ingrat d'être prophète. Surtout quand on a de la concurrence. Il existait en effet, à Jérusalem, d'autres prophètes, des prophètes de bonheur, des prophètes qui endormaient le peuple dans sa fausse sécurité. « Du plus petit au plus grand, tous sont avides de rapine ; prophète comme prêtre, tous ils pratiquent la fraude. Ils pansent la blessure de mon peuple à la légère, en disant : « Paix ! Paix ! » alors qu'il n'y a pas de paix » (Jérémie 6, 13-14). Le chemin de la paix n'est pas un chemin facile. Il suppose une conversion permanente et une lutte de chaque instant pour la justice et le droit. Ceux qui voudraient faire croire autre chose sont des imposteurs.

Promesses et espérance

Le désir de la paix affleure souvent dans l'Ancien Testament, mais la réalité guerrière reste au premier plan. Comme dans toute l'histoire de l'humanité. Pourquoi donc continuons-nous de croire de façon si obstinée que la paix véritable, la SHALOM, est possible ?

Comme croyants, il nous faut répondre que par-delà toutes les raisons humaines et valables de croire à la paix, il y a des promesses de Dieu. « De leurs épées, ils forgeront des socs, et de leurs lances des faucilles. Les nations ne lèveront plus l'épée l'une contre l'autre et l'on ne s'exercera plus à la guerre. Mais chacun restera assis sous sa vigne et sous son figuier, sans personne pour l'inquiéter. La bouche de Yahvé Sabaot a parlé » (Michée 4, 3-4). La lutte pour que se réalisent les conditions de la SHALOM véritable est soutenue par l'espérance en une promesse : « Je sais, moi, le dessein que je forme pour vous — oracle de Yahvé —, dessein de paix et non de malheur, qui vous réserve un avenir plein d'espérance » (Jérémie 29, 11).

Voici quelques autres textes de l'Ancien Testament que l'on pourrait aller voir pour compléter la lecture de ce chapitre :

Dénonciation des accords militaires sans la foi

Isaïe 18, 1-6 ; 28, 14-20 ; 30, 1-18 ; 31, 1-3.

La paix est le fruit de la justice

Psaume 72, 2-3 ; Isaïe 33, 15-16.

Attention aux prophètes de bonheur

Jérémie 4, 10 ; 5, 26-31 ; 14, 13 ; 23, 16-22.

Dieu promet la paix

Psaume 72, 3.7 ; Isaïe 9, 1-6 ; 60, 17-18 ; Michée 5, 9-10 ; Zacharie 9, 9-10.

La paix du Christ

Odette MAINVILLE*

Le problème de la guerre s'est avéré, de tous les temps, l'une des grandes plaies de l'humanité. Mais aujourd'hui plus que jamais, alors que la menace d'une catastrophe nucléaire plane sur le monde, la nécessité de conjuguer les efforts en vue de bâtir la paix devient l'impératif de l'heure. C'est la survie de l'humanité qui en est l'enjeu.

Mais la grande question demeure : comment établir une paix qui soit à la fois durable et équitable pour tous les peuples ? Or, cette quête renvoie inévitablement le chrétien à son option pour le Christ : il ne peut, dans son type d'engagement, ignorer la voie tracée par Jésus lui-même. En conséquence, son action doit s'inspirer des principes évangéliques et, surtout, se laisser guider par l'esprit qui les sous-tend.

---

* Mère de deux enfants. Étudiante au doctorat (Théologie/Études bibliques) à l'Université de Montréal. Membre de SOCABI (Société catholique de la Bible) et de l'ACEBAC (Association catholique des études bibliques au Canada). Chargée de cours à l'Université de Montréal et à l'Université du Québec à Trois-Rivières.

Or, en quels termes Jésus et les auteurs du Nouveau Testament ont-ils parlé de la *paix* ?

En fait, le mot *paix* apparaît dans tous les livres du Nouveau Testament[1] (à l'exception de 1Jn). Notre objectif n'est pas d'en analyser, ici, toutes les mentions. Cela constituerait un ouvrage en soi. Mais nous voudrions, à partir d'elles, tenter de dégager les exigences qu'elles supposent pour l'édification de la *paix du Christ*.

Pour ce faire, nous essaierons, d'une part, de définir le sens de la paix évangélique ; nous chercherons, d'autre part, à établir les conditions de sa réalisation dans le monde.

La paix messianique

« *Dans quelque maison que vous entriez, dites d'abord : 'Paix à cette maison'* » *(Lc 10, 5).*

La formule que Jésus recommande d'employer pour saluer les gens de la maison ne contient rien d'inédit. Elle est, au contraire, la salutation usuelle de l'Ancien Testament. Or, dans le monde biblique, cette salutation n'est pas simple parole banale d'introduction entre personnes qui

---

1. Le terme revient à 85 reprises dont voici les références : Mt 10, 13 (2 fois). 34 (2 fois) ; Mc 5, 34 ; Lc 1, 79 ; 2, 14,29 ; 7, 50 ; 8, 48 ; 10 5-6 ; 11, 21 ; 12, 51 ; 14, 32 ; 19, 38.42 ; 24, 36 ; Jn 14, 27 ; 16, 33 ; 20, 19.21.26 ; Ac 7, 26 ; 9, 31 ; 10, 36 ; 12, 20 ; 15, 33 ; 16, 36 ; 24, 2 ; Rm 1, 7 ; 2, 10 ; 3, 17 ; 5, 1 ; 8, 6 ; 14, 17.19 ; 15, 13.33 ; 16, 20 ; 1Co 1, 3 ; 7, 15 ; 14, 33 ; 16, 11 ; 2Co 1, 2 ; 13, 11 ; Ga 1,3 ; 5, 22 ; 6, 16 ; Eph 1,2 ; 2, 14. 15.17 ; 4, 3 ; 6, 15.23 ; Phl 1, 2 ; 4, 7.9 ; Col 1, 2 ; 3, 15 ; 1Th 1, 1 ; 5, 3.23 ; 2Th 1, 2 ; 3, 16 ; 1Tim 1, 2 ; 2 Tim 1, 2 ; 2, 22 ; Tit 1, 4 ; Phm 3 ; Heb 7, 2 ; 11, 31 ; 12, 14 ; 13, 20 ; Ja 2, 16 ; 3, 18 ; 1P 1, 2 ; 3, 11 ; 5, 14 ; 2P 1, 2 ; 3, 14 ; 2Jn 3 ; 3Jn 15 ; Ju 2 ; Ap 1, 4 ; 6,4.

se rencontrent ; mais elle traduit plutôt un souhait de SANTÉ, de PROSPÉRITÉ et de BONHEUR à l'intention de la personne ou du groupe à qui elle s'adresse.

Cette paix n'est donc pas uniquement tranquillité psychologique : elle est *plénitude de vie*. C'est précisément ce qui ressort de la parole de Jésus à l'hémorroïsse : « Ma fille, ta foi t'a sauvée ; va en paix et sois guérie de ton mal » (Mc 5, 34). Ainsi, la paix n'est possible qu'à partir du moment où la santé physique et spirituelle est assurée. La femme peut maintenant envisager de vivre dans la paix, c'est-à-dire, de *se réaliser pleinement*.

Et cette plénitude de vie, c'est le vœu que Dieu, par la bouche de ses messagers, formule, au moment de la naissance de son fils, pour tous et chacun de ceux qui habitent cette planète :

> «...*paix sur la terre pour les hommes*
> (*objet*) *de (sa) bienveillance*» (*Lc 2, 14*)[2].

Ce souhait revêt, en effet, une portée universelle puisque le Messie de Dieu, porteur de cette paix, est venu pour le salut de l'humanité entière. D'ailleurs, quand Jésus fait Christ (i.e. roi de l'univers) par sa résurrection apparaît à ses disciples, il fait sien le souhait de son Père lorsqu'il leur dit : « La paix soit avec vous » (Lc 24, 36 ; Jn 20, 19.21.26).

C'est donc le désir de Dieu Père et du Christ ressuscité que *tous les humains vivent dans la*

---

2. L'exégèse moderne a démontré que la traduction courante « aux hommes de bonne volonté » ne correspondait pas fidèlement au texte grec. La version liturgique « aux hommes qu'il aime », i.e. l'humanité entière, rendrait effectivement mieux l'idée du texte.

paix. Paix qui ne saurait être réduite à l'absence de guerre. Paix qui correspond plutôt à un contexte de vie qui favorise l'épanouissement et de l'individu et de la collectivité. C'est-à-dire, la paix au sens biblique du terme.

PAIX MESSIANIQUE = PLÉNITUDE DE VIE

Le paradoxe de la paix du Christ

« *N'allez pas croire que je sois venu apporter la paix sur la terre; je ne suis pas venu apporter la paix, mais bien le glaive* » *(Mt 10, 34)*.

Ainsi parle le Prince de la paix ! Parole déconcertante. Mais combien réaliste.

Jésus, le seul être humain à avoir mené sa vie en parfaite conformité avec la volonté du Père, a voulu, par ses paroles et par ses gestes, livrer au monde ce message de paix essentiellement fondé sur l'amour. Il a proclamé l'unique condition de la paix. Il en a posé les assises. Il a tracé la voie.

Jésus est, par ailleurs, pleinement conscient que ni lui ni même son Père ne peuvent établir la paix sur la terre si tel n'est pas d'abord le bon vouloir des humains. Il en est tellement conscient qu'il dira à ses disciples en les envoyant en mission :

« *Dans quelque maison que vous entriez, dites d'abord : 'Paix à cette maison'. Et s'il s'y trouve un homme de paix, votre paix ira* reposer sur lui ; sinon elle reviendra sur vous » *(Lc 10, 5-6).*

Ainsi, la paix du Christ ne s'impose pas. Elle doit être accueillie. Et cette nécessité de l'accueil est explicitement affirmée par Matthieu :

« *Si l'on ne vous accueille pas et si l'on n'écoute pas vos paroles, en quittant cette ville, secouez la poussière de vos pieds* » *(Mt 10, 14)*[3].

La paix du Christ ne peut rien si elle se heurte à l'hostilité. Cette inefficacité de la paix du Christ en terre aride sera d'ailleurs douloureusement illustrée par le rejet de son peuple. Quand il est entré à Jérusalem, ceux qui le suivaient ont proclamé à pleine voix :

« *Béni soit celui qui vient, le roi au nom du Seigneur ! Paix dans le ciel et gloire au plus haut des cieux* » *(Lc 19, 38).*

Mais Israël ne sait reconnaître cette paix, il la refuse :

« *Si toi aussi tu avais su en ce jour comment trouver la paix. . .* » *(Lc 19, 42),*

et par conséquent, court vers sa propre destruction[4].

La paix du Christ ne s'impose pas. Elle doit être accueillie. Voilà pourquoi elle n'est pas donnée à la manière des humains (Jn 14, 27).

La paix des humains ne se réduit-elle pas trop souvent à un fragile équilibre de forces ? Qu'il

---

3. « Secouez la poussière » est un geste signifiant la rupture.

4. Jérusalem et son temple seront détruits par les Romains en l'an 70 de notre ère, soit 40 ans environ après la mort de Jésus.

s'agisse de l'autorité parentale mal intégrée ou de l'intimidation mutuelle des grandes puissances militaires en passant par les relations patronales-syndicales tendues, la paix des humains n'est-elle pas trop souvent l'effet du pouvoir coercitif ?

Or, la paix que Jésus avait à offrir, la seule capable de produire les fruits du Royaume, requérait que l'on fasse confiance au pouvoir de l'amour. Mais le monde rompu par les forces du mal allait inévitablement y opposer le pouvoir de la haine. Et de cela, Jésus, pour avoir été pleinement du monde, n'en était que trop conscient. Aussi comprenait-il que son projet de paix, en s'incarnant dans une humanité déchirée, ne pourrait échapper à la lutte que se livreraient les forces antagonistes.

— DIEU VEUT LA PAIX DANS LE MONDE
— JÉSUS EN ÉTABLIT LES CONDITIONS
— MAIS SA RÉALISATION RELÈVE DE LA LIBERTÉ HUMAINE

Les artisans de paix

En préparation à la section qui suit, lire Mt 5, 21-24. Si, en dépit du caractère revêche du texte lu, vous n'avez pas refermé votre Bible. . . lisez maintenant Mt 5, 43-48.

On serait ici en droit d'interroger notre rêve de paix. Puisque sa réalisation est tout autant liée à la volonté humaine qu'à la volonté divine, ne serait-il donc qu'utopie ? Mais alors, vaines seraient les paroles du Christ :

« *Je vous laisse la paix, je vous donne ma paix* » *(Jn 14, 27a).*

« *Je vous ai dit cela pour qu'en moi vous ayez la paix* » *(Jn 16, 33).*

Où se fonde notre espérance chrétienne sinon dans les paroles mêmes du Christ ? À l'instar de Pierre, n'aurions-nous pas le goût de dire : « Seigneur, à qui irions-nous ? Tu as les paroles de vie éternelle » (Jn 6, 68).

Mais, il y a lieu d'espérer. Justement parce que la paix du Christ est efficace quand elle est accueillie. Or, les chrétiens ne sont-ils pas, de par leur nature, ceux qui font leurs les options du Christ ?

Le peuple chrétien constitue donc une puissance d'action capable de changer la face du monde. Il suffit que les chrétiens saisissent pleinement la valeur de leur engagement et prennent conscience de l'impact que pourrait avoir leur action concertée. Il suffit que les chrétiens deviennent véritablement ce qu'ils sont appelés à être : des ARTISANS DE PAIX.

Qu'est-ce que cela implique ?

« *Heureux les artisans de paix : ils seront appelés fils de Dieu* » *(Mt 5, 9).*

À noter qu'il n'est pas dit « heureux ceux qui souhaitent la paix » mais bien « les artisans de paix », c'est-à-dire, les bâtisseurs de paix.

Il y a quelque chose d'extrêmement dynamique dans cette béatitude : on ne peut se contenter d'éviter la guerre, il faut promouvoir la paix. Car l'inertie de celui qui se contente de 'souhaiter la paix' laisse inévitablement la voie libre à la propagation des volontés ambitieuses du belliqueux.

Mais cette béatitude n'est-elle qu'un noble souhait laissant à chacun de découvrir la façon efficace de le concrétiser? Ou bien, pouvons-nous trouver dans le Nouveau Testament même des pistes susceptibles de nous éclairer sur la manière de bâtir la paix? Autrement dit, le Nouveau Testament contient-il des recommandations, des directives précises sur la manière de faire la paix?

Il se trouve, en effet, que les exigences de cette béatitude sont illustrées à l'intérieur même du Sermon sur la montagne dans un programme qui, de prime abord rebutant, garantit les résultats à qui en accepte le pari. Il s'agit d'un programme en deux étapes, l'une ne pouvant aller sans l'autre.

Déracinement du mal (Mt 5, 21-23)

La réaction spontanée devant le radicalisme et l'intransigeance du texte de Mt 5, 21-23, c'est de sauter immédiatement à la conclusion de l'invraisemblance de son application littérale.

Réaction saine, soit! Mais il n'en reste pas moins que ce texte n'est pas une simple parure dans l'évangile de Matthieu et que si ce dernier a jugé bon de l'y insérer, c'est sûrement dans une intention bien précise. Quelle est-elle?

Si nous relisons attentivement, encore une fois, ces versets, nous constatons une gradation ascendante des sanctions inversement proportionnelle à la gravité des offenses. Voilà qui apparaît étrange! Mais c'est le déracinement du mal qui y est visé.

Par exemple, le meurtre prend naissance dans la pensée qui nourrit des sentiments négatifs envers le prochain. Or, la loi de l'Évangile ne limite pas son jugement aux actes destructeurs concrets, mais elle les combat à la racine. Il ne suffit pas qu'on évite l'acte intrinsèquement mauvais ; il faut extirper du cœur tout ce qui pourrait éventuellement le générer ; comme par exemple, invectiver son frère (lui dire « fou »).

C'est une attitude analogue, voire plus exigeante encore, qui est mise de l'avant en ce qui concerne la réconciliation (Mt 5, 23-25). En effet, l'impératif de la réconciliation ne pose pas d'abord la question à savoir si je suis ou non coupable, si je suis à blâmer. Mais « si (mon) frère a quelque chose contre (moi). . . » Ainsi, le déracinement du mal, pour celui ou celle qui vit dans la liberté du Christ, ne se limite pas à sa propre personne ; mais le chrétien est aussi responsable du déracinement du mal dans l'autre. Et voilà que l'on saisit ce que signifie, pour le chrétien, être le sel de la terre et la lumière du monde (Mt 5, 13-16).

Bref, c'est la transformation du cœur qui est exigée ; car c'est du cœur que procède le mal (Mt 15, 19-20). C'est la condition essentielle pour en arriver à produire de bons fruits.

Amour des ennemis (Mt 5, 43-48)

La deuxième partie de la béatitude disait, au sujet des artisans de paix, qu'ils seraient appelés 'fils de Dieu'. Or, comment cette condition peut-elle être réalisée ?

« *Et moi, je vous dis : aimez vos ennemis et prient pour ceux qui vous persécutent afin*

PAIX SUR LA TERRE

Paix
aux hommes de bonne volonté
partout dans le monde.
Malgré la douleur
et le tragique
de la crise actuelle,
quelque chose se dessine,
et c'est pour toujours
l'aurore
d'un large courant d'amour
dans la masse humaine.
Après deux mille ans,
c'est peut-être aujourd'hui
que nous sommes le plus près
d'entendre les paroles :
« Aimez-vous
les uns les autres »,
et de les vivre,
traversées par l'immense joie
de la Création,
dans leur plénitude universelle.

(Pierre Teilhard de Chardin)

d'être vraiment les fils de votre Père qui est aux cieux» (Mt 5, 44-45a).

Pourquoi une telle attitude est-elle exigée pour être vraiment fils du Père ? Parce que 'être fils du Père' signifie être comme le Père. Or, le Père « fait lever son soleil sur les méchants et sur les bons, et tomber la pluie sur les justes et les injustes » (Mt 5, 45b). Autrement dit, il est bon pour tous et fait du bien à tous. Ainsi le chrétien doit-il se comporter.

La prescription évangélique est, dans sa forme actuelle, sans précédent : Jésus démolit toutes les barrières. Elle n'est pas seulement absence de haine ou de vengeance, mais elle est une action concrète en faveur de la paix. Aimer n'est pas réduit à un simple sentiment comme en sont également capables les injustes (Mt 5, 46-47) : aimer constitue un dynamisme d'action. C'est ainsi que le Père aime et les chrétiens ne peuvent appeler Dieu 'Père' sans tendre à lui ressembler.

Cette justice chrétienne se démarque alors radicalement de la justice du talion[5], qui est en soi une mesure équitable. C'est d'ailleurs cette justice, celle du talion, qui régit couramment les rapports humains tant au plan individuel que collectif, tant au plan national qu'international. Et cela se vérifie aussi bien dans le fait banal de l'individu qui dit à son voisin : « Tu fais du bruit ; j'en fais aussi » que dans la riposte bombardement pour bombardement entre pays belligérants.

La justice qui se fonde sur la négative ou qui s'applique à rendre coup pour coup maintient un

---

5. Il s'agit du fameux principe 'oeil pour oeil, dent pour dent' (cf. Lv 24, 17-20 ; Ex 21, 23-25).

climat d'agressivité, nourrit le désir de vengeance, engendre la violence et, par conséquent, ne viendra jamais à bout du mal. Seule la justice évangélique qui s'attaque au mal dans sa racine peut semer la paix. Car elle s'élève contre tout sentiment négatif qui puisse naître dans le cœur.

Il n'en demeure pas moins que le paradoxe de l'amour évangélique écartèle celui ou celle qui compte s'y conformer entre la nécessité de faire justice à l'opprimé et le précepte de pardonner à l'oppresseur. Voyons comment Jésus s'en est lui-même tiré.

NON PAS SEULEMENT PARTISAN DE LA PAIX MAIS ARTISAN DE PAIX

Jésus, artisan de paix

Jésus ne s'est pas seulement prononcé en faveur de la paix ; il a été un véritable artisan de paix.

Ce serait fausser la nature de l'amour évangélique que de l'évoquer pour justifier une attitude passive ou de résignation face à l'injustice. Au contraire, l'amour évangélique promeut la qualité de la vie, l'égalité, la justice pour tous. Justice et paix sont corrélatives en ce que la justice est la condition essentielle à la paix. Sans la justice, le discours sur la paix se meurt dans le néant des bonnes paroles.

Jésus a sans relâche combattu l'injustice. Il s'est rangé du côté de l'opprimé ; il a dénoncé les mesures hypocrites prises contre ceux qui ne se conformaient pas à une pratique littérale de la religion juive (cf. Mt 23). Il a visité les marginaux (bergers[6], Lc 2, 8-23) ; il a pris parti pour les victimes de l'application abusive de la loi (épis arrachés le jour du sabbat, Mt 12, 1-8) ; il a accueilli ceux qu'on étiquetait d'"impurs' (Cananéenne, Mt 15, 21-28 ; Samaritaine[7], Jn 4, 1ss) ; il a pris la défense des droits brimés des femmes (femme adultère, Jn 8, 1-11 ; controverse sur la répudiation, Mt 19, 1-9) ; il s'est indigné contre l'exploitation des petits (vendeurs du temple, Jn 12, 13-22).

Mais Jésus a également accueilli les oppresseurs : il invite Lévi, le publicain[8], à devenir son disciple (Mc 2, 13ss) ; il visite Zachée (Lc 19, 1-9) ; il mange avec les pharisiens (Lc 7, 36ss) ; etc. Jésus n'a sûrement pas encouragé leur action oppressive. Mais il lui fallait d'abord les accueillir pour leur communiquer l'amour du Père. Il fallait d'abord les accueillir pour changer leur cœur. Mais l'accueil de l'oppresseur n'est certes pas connivence avec l'action injuste de ce dernier. Non pas complicité mais manifestation de l'amour du Père, seul moyen de toucher le cœur du pécheur pour qu'il devienne à son tour artisan de paix.

---

6. Les bergers étaient classés sur la liste noire parce qu'en général ils ne connaissaient ni ne pratiquaient la Loi.

7. Les Juifs ne devaient avoir aucun contact avec les Cananéens qui étaient des païens et les Samaritains qui étaient un mélange de la race israélite et des peuples païens. Mais les Juifs détestaient plus particulièrement les Samaritains.

8. Juif qui collectait les impôts pour le compte des Romains. Il était détesté des autres Juifs et considéré comme un pécheur public.

Ainsi, la justice chrétienne opère-t-elle sur deux fronts à la fois : du côté de l'opprimé et du côté de l'oppresseur. C'est le seul espoir de les réunir dans une lutte commune pour la paix.

LA PAIX
DU CHRIST
DANS
$\Big\langle$
LA DÉFENSE DE L'OPPRIMÉ

L'ACCUEIL DE L'OPPRESSEUR

Conclusion

Le zèle du chrétien en matière de paix doit définitivement s'inspirer de l'Évangile dans son ensemble, sans opérer de triage qui pourrait tout aussi bien viser à justifier des pratiques violentes qu'à prôner des attitudes de résignation.

Le grand commandement de l'amour exige certes de pardonner soixante-dix-sept fois sept fois. Mais il exige également de s'élever contre toute pratique qui dégrade et avilit la dignité humaine ; contre toute structure sociale aliénante ; contre tout système politique opprimant. Il exige, de la part du chrétien, un engagement concret dans la lutte pour le respect des droits humains. Il exige une guerre ouverte contre l'injustice afin que règne la paix.

---

*L'amour est la seule force
capable de transformer
un ennemi en ami.*

(Martin Luther King)

Les Églises devant la guerre et la paix

Julien HARVEY*

Karl Marx disait que, parmi les points importants de sa critique de l'Église, il y avait le fait qu'elle a trouvé moyen d'être pacifiste en temps de paix et de bénir la guerre quand elle se présente ! C'est une accusation assez grave. Moins grave cependant que celle de bien d'autres adversaires de l'Église, qui ont simplement soutenu qu'elle n'avait rien à faire dans cette question, qu'elle devait laisser la guerre aux généraux pour s'occuper de l'âme des soldats. Marx au moins prenait l'Église au sérieux, sur le terrain même où elle se veut chez elle : celui du succès ou de l'échec de l'aventure humaine, de notre communauté de destin dans l'histoire. C'est cette implication du christianisme dans la vie sociale présente qui rend indispensable une réflexion historique sur les Églises devant la guerre et la paix.

* Né à Chicoutimi en 1923, jésuite depuis 1944. Est exégète de métier. A quitté l'enseignement pour se consacrer à la recherche et à la publication dans le domaine social. Est actuellement directeur du Centre *Justice et Foi* de Montréal, journaliste à la revue *Relations*. Est également animateur pastoral dans le quartier St-Henri.

Paix, notion ambiguë

Dans toutes les langues occidentales que je connais, le mot « paix » désigne à la fois la tranquillité dans l'ordre, le statu quo, l'absence de conflit, et d'autre part un effort et même une lutte pour dépasser les injustices, les conflits, les vengeances, les égoïsmes. Ce deuxième sens est beaucoup plus marqué en hébreu dans la Bible : la SHALOM, c'est le fruit de la justice, dit le prophète Isaïe (32, 17). En ce deuxième sens seulement la paix est condition essentielle de la fraternité et de l'amour social, climat normal de l'épanouissement humain et du bonheur.

Cela seul permet déjà de prévoir que l'histoire de la pensée sur la paix sera difficile.

De nouvelles données

Cette difficulté de fond est accentuée par l'expérience moderne de la menace définitive à la paix. « Depuis l'apparition de la conscience jusqu'au 6 août 1945, chaque homme a dû vivre en ayant pour horizon sa mort en tant qu'individu ; depuis, c'est l'humanité globalement qui doit vivre dans la perspective de sa disparition en tant qu'espèce »[1].

Elle est aussi accentuée par la croissance rapide de la population et des communications. Nous expérimentons une socialisation inconnue jusqu'à nous, où croissent en même temps deux prises de conscience, celle d'une solidarité humaine de plus en plus essentielle, celle d'une

---

1. Arthur KOESTLER, *Janus*, Paris, 1979, p. 19.

déchirure du monde par de trop grandes inégalités.

La mémoire de Jésus

Les premiers chrétiens sont absolument clairs sur un point : lorsqu'on a connu Jésus, lorsqu'on a mis en lui son entière espérance, on ne peut plus tuer. On refuse d'être soldat, même si cela signifie qu'on accepte d'être martyr. Et ce refus de tuer s'applique à tous les points impliqués : refus de la peine de mort, des jeux meurtriers du cirque, de l'avortement. Nous n'avons aucune exception avant l'an 170. Après cette date, on continue de refuser d'être soldat, mais si un soldat se convertit, on accepte qu'il demeure soldat mais en promettant de ne pas tuer. Cela fera de ces militaires des gardiens de frontières lointaines, des constructeurs de route. Il ne faut pas oublier cette phase de pacifisme, une attitude qu'au moins trois Églises chrétiennes ont conservée, chez un million de croyants, les Mennonites, les Quakers et les Brethrens.

La responsabilité de l'Empire

En 313, Constantin se convertit et l'Empire romain avec lui. De marginal, le chrétien devient le citoyen normal, solidaire, responsable de la paix. Dans un monde probablement aussi violent que le nôtre (l'historien Mommsen disait qu'on ne comprend l'Empire romain qu'en saisissant que la guerre est l'état normal entre tous les groupes et que la paix est un accident), on comprend très vite le devoir de la légitime défense. Spécialement de la légitime défense des autres. Si on doit présenter l'autre joue, cela ne vaut pas de l'autre joue des plus faibles quand ils sont attaqués. D'où une interprétation urgente de la parole de saint Paul dans la lettre aux Romains (ch. 13) : il faut obéir à l'État ; si l'État décide de la guerre défensive, il faut encore lui obéir. S'il commande la guerre d'expansion ou d'enrichissement, il faut devenir objecteur de conscience. La théorie de la guerre juste est née.

La guerre juste

Comme beaucoup d'autres positions classiques de l'Église catholique, on a attribué à saint Augustin (354-430) la formulation de cette théorie de la guerre juste. Elle est appuyée sur un principe très fort : une société, comme une personne, a le droit de se défendre quand elle est attaquée. Plus qu'une personne, elle en a le devoir, quand les citoyens, surtout les plus faibles, ne pourront en aucune façon se défendre si la riposte ne vient pas de la société entière.

Dès le départ, Augustin pose des limites précises à une guerre juste. La cause à défendre doit être juste : guerre défensive et non guerre de conquête, ni guerre de prévention, ni guerre de vengeance ou de représailles. L'autorité responsable, le chef de l'État tout particulièrement, doit en prendre la décision : ceci exclut les guerres civiles, les luttes de partis à l'intérieur d'un pays. Aussi, l'intention qui dirige cette violence doit être droite : on récuse en particulier les intérêts économiques, l'orgueil national blessé, le désir d'anéantir l'adversaire. Une quatrième condition est que ce soit le dernier recours : toutes les formes de réclamation de la justice doivent avoir été essayées, en particulier la négociation. En outre, la défense doit être proportionnée à l'attaque. Enfin, et plus tard, on ajoutera qu'on doit avoir, dès le départ, des chances sérieuses de réussir à obtenir justice par la guerre, excluant ainsi les guerres suicidaires, où seule la haine dirige les opérations.

Cette théorie de la guerre juste, de plus en plus élaborée, sera l'enseignement officiel de l'Église catholique et de la plupart des Églises chrétiennes jusqu'à notre temps. Et malgré une évolution que nous rencontrerons plus loin, la quasi-totalité des théologies de la libération doivent y revenir, tout comme d'ailleurs la plupart des document oecuméniques modernes.

La guerre sainte

À une époque où nous avons vu renaître de tous côtés la guerre sainte, depuis l'ayatollah Khomeiny jusqu'à l'Irlande et au Liban, il est gênant de devoir constater que nous avons dans notre patrimoine ancien une théorie de la guerre sainte ! Entre 1095 et 1250, le monde arabe connut un développement extraordinaire et il manifesta une volonté de conquête bientôt redoutable pour l'Europe. On constata très vite que la motivation de cette poussée guerrière était la conscience de se battre pour Allah. La réaction chez les chevaliers et chez le pape (en particulier Urbain II) fut de susciter la guerre sainte chez les chrétiens. La théorie est simple et redoutable : Dieu ordonne la guerre pour éliminer ses ennemis. Et il rend justes et promet la vie éternelle à ceux qui répondront à son appel.

La guerre sainte était attestée dans la Bible, en particulier dans le Deutéronome. Peu d'exégètes, anciens comme contemporains, la considéreraient comme d'inspiration divine : comme bien d'autres faits attestés dans la Bible, il s'agit d'éléments trop humains de la compréhension ou de l'incompréhension humaine de la rencontre collective de Dieu. Il est regrettable que les situations de grande passion nationale fassent renaître la théorie et la pratique de la guerre sainte et ses équivalents sécularisés que sont les guerres idéologiques.

Pratique et mise en question de la guerre juste

Beaucoup de films et de romans sur le Moyen-Âge, un peu comme les films de cow-boys, nous donnent l'impression d'un monde de grande violence. Cela n'est pourtant vrai que de sa dernière partie. En général, la chrétienté médiévale a accepté une régie de la violence par l'Église, qui a arbitré avec succès beaucoup de conflits. Des institutions respectées dans la plupart des cas ont policé la guerre : la « Paix de Dieu » a interdit d'étendre la violence militaire aux femmes, aux enfants, aux paysans, aux maisons privées, aux entreprises agricoles. La « Trêve de Dieu » a interdit de faire la guerre de façon continue, a interdit la destruction de l'adversaire, a déterminé un premier droit des prisonniers et des blessés.

Pendant le Moyen-Âge, les théologiens ont précisé la théorie de la guerre juste et ont tenté de faire face aux difficultés nouvelles. En particulier, saint Thomas d'Aquin (1225-1274) considère la guerre en général comme un péché, collectif et personnel. L'exception sera la guerre défensive et les rares cas de guerres justes où l'amour du prochain incluera le devoir de le punir pour une conduite manifestement et gravement injuste à l'égard d'êtres humains.

Plus tard, le théologien espagnol Francesco de Vitoria (1483-1546) enseignera que, dans le concret, les *deux* adversaires peuvent entrer en guerre en ayant la conscience de livrer une guerre juste ! Ceux d'entre nous qui ont vécu la dernière guerre mondiale se souviennent de cette situation paradoxale, qui est sans doute le plus faible point de la théorie de la guerre juste : la bénédiction des soldats et des armes des deux côtés de la barricade !

La théorie de la guerre juste, tout en se maintenant officiellement, a subi de plus en plus de mises en question au 20e siècle, surtout en raison de l'évolution des moyens de destruction : la guerre est de plus en plus mise en question comme moyen de rétablir la justice. Les papes, surtout depuis Léon XIII (1878-1903), protestent contre toutes les guerres et rappellent les manquements de plus en plus graves et de plus en plus inévitables aux lois de la guerre juste : bombardements massifs, destruction de propriétés non impliquées dans le conflit, exécution et torture des prisonniers, terrorisme, génocide. Si l'Église avait réussi à policer la guerre, sans pouvoir la faire disparaître des mœurs de l'Occident, elle devait constater que la fin de la chrétienté, sous prétexte de progrès technique de l'armement, ramenait la guerre sous ses formes les plus brutales et primitives.

La promotion de la paix

Si les Églises ont dû tolérer la guerre, tout en essayant de la civiliser, dès le moment où le christianisme est devenu la foi commune de larges groupes nationaux, elles ont plus encore tenté de promouvoir la paix. On pouvait sans doute appuyer une tolérance de la guerre juste sur le chapitre 13 de l'épître aux Romains de saint Paul. Mais on ne pouvait laisser de côté le Sermon sur la montagne, qui déclarait heureux les faiseurs de paix, ni la non-violence de Jésus demeurée sans concessions jusqu'à la fin.

Ce qui est plus important, surtout à l'époque moderne, c'est de voir quel souci de *réalisme* et d'efficacité les Églises ont manifesté dans leur recherche de la paix.

Au début du 20e siècle, la paix est généralement exprimée dans l'Église sous forme de souhait optimiste. En particulier, on souhaite que l'arbitrage international et parfois même supranational remplace le conflit armé.

Avec l'approche de la Première Guerre mondiale, dès 1912, et pendant la guerre (1914-1918), les Églises acceptent, des deux côtés du conflit, la guerre juste, rappellent le devoir de patriotisme dans le service militaire, fournissent des aumôniers et des services caritatifs. Mais en même temps, elles cherchent à devenir la conscience des gouvernements, en rattachant justice et paix et en parlant de médiation (celle de Benoît XV aurait pu sans doute abréger de plus d'un an la Première Guerre mondiale).

L'entre-deux-guerres et la paix

À partir de 1919, les Églises appuient d'abord la création d'organismes supranationaux capables d'arbitrage international. Elles jouent un rôle dans la création de la Société des Nations. En même temps, elles deviennent idéalistes dans leur optimisme et leur pacifisme. Dans plusieurs pays, y compris le Canada et les États-Unis, les Églises ne contestent guère le gouvernement ni ses politiques internationales. C'est sans doute là la période la plus déconcertante pour nous, où les Églises semblent certaines que la leçon de la Grande guerre et l'institution de la Société des Nations ont rendu la guerre impossible.

La Deuxième Guerre mondiale et la paix

À partir surtout de 1935, les Églises voient avec consternation le retour prévisible de la guerre. Le pape Pie XII est nommé au moment du commencement des hostilités, en 1939. Il se tourne vers les causes du conflit, en particulier l'orgueil national, dans ses interventions (en particulier la lettre « Avec un souci brûlant »). Cette attitude sera en général celle des Églises au cours du conflit. Le lyrisme patriotique est beaucoup plus réservé, la distance entre Églises et État s'accentue.

Après la bombe de Hiroshima
(6 août 1945)

La première activité de reconstruction des Églises après l'armistice a été l'appui solide à la constitution des Nations Unies et de leur Conseil de Sécurité. Également unanime est l'appui au Plan Marshall de reconstruction des peuples vaincus à la guerre. Peu après, les Nations Unies proclament la Déclaration universelle des droits de l'homme (décembre 1948) ; ici encore, l'appui des

Églises est unanime, même si l'Église catholique retarde quelque peu par rapport aux autres. En 1948, le Conseil Oecuménique des Églises (COE) tient sa première rencontre et dès ce moment le puissant mouvement supporte les politiques de désarmement.

En 1954, un virage important se produit : pour la première fois, un pape met en question la validité moderne de la théorie de la guerre juste. Parlant de la légitime défense par la guerre, il ajoute : « Quand la mise en œuvre de ce moyen (par les armes atomiques, bactériologiques et chimiques) entraîne une extension telle du mal qu'il échappe entièrement au contrôle de l'homme, son utilisation doit être rejetée comme immorale »[2].

La lettre « Paix sur la terre » de Jean XXIII

La pensée de Pie XII n'influencera guère l'opinion. Ni d'ailleurs celle du COE. C'est après 1960 que la mise en doute de la coexistence pacifique amène le début de l'escalade de l'armement atomique puis nucléaire. L'intervention majeure de Jean XXIII est la lettre *Pacem in terris* de 1963, qu'on peut résumer en une de ses phrases : « Il devient humainement impossible de penser que la guerre soit, en notre ère atomique, le moyen adéquat pour obtenir justice d'une violation de droits ».

---

2. Discours du 30 sept. 1954 à l'Association médicale mondiale, cf. *Documentation catholique* 1954, p. 1283-84.

Mais la dimension beaucoup plus importante de cette lettre, et d'ailleurs de toute la pensée de Jean XXIII sur la guerre et la paix, est l'importance vitale qu'il accorde à la pratique généralisée des droits humains pour assurer une paix juste et durable. Sans doute, l'Église et les Églises ont toujours rattaché, depuis la Bible, la paix et la pratique de la justice ; mais il faut bien reconnaître qu'on en demeurait trop souvent, depuis la fin de la chrétienté, à des vœux pieux. L'Église avait fait accepter aux chevaliers un code chrétien de la guerre ; elle ne savait plus comment intervenir dans un monde sécularisé et largement sans foi. Avec Jean XXIII, elle se rapproche du code des peuples revenus à une sagesse à la suite de la Deuxième Guerre mondiale.

Le Concile Vatican II, la guerre et la paix

C'est surtout dans sa Déclaration sur *L'Église dans le monde de ce temps* (au chapitre 5, nn. 78-81) que le Concile Vatican II, en 1965, a exposé sa pensée sur la guerre et la paix. Il réaffirme le droit à la légitime défense des communautés humaines, mais refuse de soutenir la théorie de la guerre juste. Le Concile déclare également que l'usage des armes atomiques et nucléaires dépasse nécessairement la modération requise par la légitime défense et que par conséquent on condamne même l'usage défensif des armes nucléaires ; on condamne également la guerre totale, même avec des armements conventionnels.

Plus importante cependant est l'ébauche, dans plusieurs documents du Concile (sur l'Église, sur l'œcuménisme) d'une théologie de la paix. Les grandes lignes sont les suivantes : la paix est un droit fondamental, une exigence de la personne humaine. En effet, la personne humaine est un être de relations, fait pour vivre en société, en raison de sa nature profonde avant tout contrat social d'intérêts réciproques. Or, aucune vie sociale n'est possible sans la concorde, sans communauté humaine unifiée et recherchant activement la paix. Cette paix ne peut être sérieusement imposée par la force ; elle doit être le fruit de la justice, de la possibilité réelle de développement.

Le Concile, suivi bientôt par la lettre du pape Paul VI sur le développement des peuples (*Populorum progressio*) en 1967, affirme ensuite que l'intervention en faveur de la justice et de la paix est une tâche fondamentale de l'Église, à laquelle il lui est impossible de manquer, sous le prétexte d'un souci de l'au-delà ou d'une responsabilité limitée au cœur humain, laissant à la politique et à l'économique le monde des structures. Cette attitude, même encore très abstraite, est sans doute le virage le plus important de la pensée de l'Église sur la guerre et la paix. À la même époque, le Conseil Œcuménique des Églises se rapproche de cette position et rend plus solidaires au moins les grandes Églises de la Réforme sur l'engagement social et politique en faveur de la paix[3].

---

3. On verra par exemple l'excellent petit livre de John MacQUAR-RIE, *The Concept of Peace*, The Firth Lectures 1972, Londres, SCM Press, 1973.

L'après-Concile et l'analyse
sociale des conflits

La réaction des mouvements conservateurs à l'entrée de l'Église et des Églises dans l'action efficace pour la paix est sans doute un premier signe de son authenticité. On peut la symboliser par la protestation de l'amiral français Joybert en 1973 quand des prêtres s'opposèrent aux essais atomiques français en Polynésie : « Halte-là, messieurs de la prêtrise ! Voulez-vous bien, je vous prie, vous mêler de vos oignons ! » Des réactions analogues continuent de se manifester, en même temps que la contestation de Vatican II, dans certains milieux inconscients ou intéressés (je songe par exemple à la revue *Itinéraires*, depuis 1956).

Chez les chrétiens qui ont pris au sérieux le Concile et les interventions du COE, commence plutôt une longue période d'analyse sociale, permettant de déterminer des objectifs précis. Pour la première fois depuis la fin de la chrétienté, on travaille, on parle et on écrit comme si on voulait vraiment réussir.

C'est ainsi que les Églises, souvent par l'intermédiaire de groupes-relais et avec l'appui de lettres et d'actions des épiscopats, développent le souci des libertés sociales et économiques en plus des libertés religieuses et civiles. Elles cherchent à déterminer les conditions vraies du développement des régions sous-développées. Elles amorcent la résistance aux abus des multinationales. Elles contestent l'industrie et le commerce des armes. Elles distinguent l'aide technique ou bancaire internationale de l'ingérence dans la politique des États plus faibles. Elles dénoncent le racisme, l'apartheid, le génocide. Elles appuient les mouvements internationaux contre la torture (ACAT : Action des chrétiens pour l'abolition de la torture) ou l'emprisonnement politique arbitraire (Amnistie Internationale). Elles favorisent l'information sur les adversaires, y compris l'URSS. Elles attirent l'attention des organismes d'aide sur les famines et les épidémies avant qu'elles n'atteignent des dimensions catastrophiques (Développement et Paix, Fame Pereo, Caritas Internationalis). Elles conscientisent les chrétiens à l'égard des gouvernements de sécurité nationale (Entraide Missionnaire).

Tout cela se répercute dans les rencontres du COE, dans les Synodes romains, dans les assemblées de la Conférence des évêques catholiques du Canada (CECC), avec le souci d'entendre les appels de détresse, d'éveiller chez tous les chrétiens le sens de la responsabilité sociale, de rendre les gens critiques à l'égard de certaines activités de l'État, en particulier à l'égard des droits humains, que ce soit à l'intérieur du pays ou à l'étranger. Beaucoup de lettres des évêques du Canada ont ainsi une incidence sur la paix, en particulier leurs rappels de la Journée mondiale de la paix depuis 1968 ou leur lettre conjointe CECC-CCE (Conférence des évêques catholiques du Canada — Conseil canadien des Églises) au premier ministre Trudeau en 1983 sur l'abandon des armes nucléaires[4].

_____

4. Cf. *La documentation catholique*, n° 1845, 6 février 1983, p. 174-178.

Les années récentes (1975-1985)

La première décennie de l'après-Concile a été un temps de perplexité dans beaucoup de milieux catholiques, tout autant au Canada ou au Québec qu'en Hollande. Plusieurs mouvements se sont défaits, permettant à certains intégristes de parler de décomposition de l'Église. Une explication beaucoup plus simple et plus vérifiable est pourtant la suivante : dès que l'Église a commencé à quitter le terrain des vœux pieux et du spiritualisme désincarné pour montrer le chemin d'une option prioritaire pour la justice et pour les pauvres, bon nombre d'adhérents superficiels ont immédiatement décroché, surtout lorsque le changement de climat social a rendu vraiment libre la pratique liturgique. Cela a permis le passage d'une catéchèse trop abstraite à une conversion par la praxis et l'engagement, à une nouvelle conscience chrétienne née de la vie réelle.

Le retour au réalisme à l'égard de la prolifération de l'armement nucléaire s'est surtout fait sentir depuis dix ans. Des Synodes romains à la rencontre du Conseil Oecuménique des Églises à Vancouver en 1983, au-delà de l'anti-américanisme ou de l'anti-communisme faciles, on peut constater le retour d'un équilibre entre le respect de l'État et la critique de certaines de ses activités, assurant ainsi une distance chrétienne en même temps qu'un impact efficace. On peut constater également le souci croissant de favoriser les prérequis indispensables de la paix : amour social, pratique de la justice et respect actif des droits humains, promotion de la coresponsabilité politique, aide à la liberté et au besoin à la libération, garantie d'un minimum vital assuré pour tous. Également en croissance est le souci concret de l'éducation des jeunes à la paix par la pratique des droits humains et de la non-violence.

Le nouveau pacifisme

Aussi longtemps que la théorie de la guerre juste a occupé le centre de la pensée officielle des Églises, les pacifistes ont été marginalisés, sans être jamais blâmés pour leur conviction. Ils ont toujours conservé leur valeur de symbole, très forte parce que greffée sur la non-violence totale de Jésus. Ils ont connu récemment un fort renouveau (de Greenpeace à l'Union des Pacifistes du Québec). Leurs mouvements sont souvent purifiés par l'expérience. En particulier, ils ont souvent cessé de considérer la vie physique comme la seule valeur à conserver à tout prix, pour reconnaître qu'elle peut être sacrifiée à de plus grandes valeurs sociales, comme la liberté ou la réconciliation.

Mais ce qui est beaucoup plus significatif encore, c'est l'évolution des mouvements pacifistes chrétiens contemporains vers des alternatives valables à l'équilibre de la terreur. Un document essentiel à ce titre est la « Recherche œcuménique » publiée conjointement le 26 novembre 1984 par la Commission sociale, économique et internationale de la Fédération protestante de France et la Commission française « Justice et Paix » catholique, sous le titre de « Construire la paix »[5].

___

5. Cf. *La documentation catholique*, n° 1890, 17 février 1985, p. 239-254. Texte publié en petit livre : *Pour construire la paix, Recherche œcuménique*, Le Centurion, Paris, 1985.

Construire la paix

Après avoir décrit de façon compétente la situation et avoir rappelé les principes humains et chrétiens sur lesquels les Églises de France s'entendent, on intitule la 3e partie : « La paix : une construction incessante ». Le point de départ est le suivant : « Sans la volonté et la capacité d'agir sur le cours de l'histoire, le désir de la paix ne serait que faiblesse ou démission. Construire la paix exige donc un effort de maîtrise des processus économiques, techniques, sociaux et culturels de notre temps. »

On démontre ensuite la nécessité d'un « projet politique générateur de la paix. . . dont les lignes générales sont claires : l'harmonisation des processus sociaux, techniques et économiques, afin de satisfaire sans violence les besoins fondamentaux, dans le respect des peuples et de leurs cultures ». On concède que le projet trop résumé peut sembler utopique, mais que la réflexion approfondie permet de le préciser. On ajoute que ce ne sont pas les colloques mondiaux qui résolvent de tels problèmes, mais la multiplication des occasions de rencontre, permettant de tisser des liens nouveaux, « meilleur antidote contre la méfiance et la peur ».

Le document admet qu'une défense demeure nécessaire, la guerre n'étant pas disparue et le devoir demeurant de protéger ce à quoi nous tenons légitimement comme groupe culturel. Mais, ceci dit, peut-on dissuader *sans* la bombe nucléaire ? Après avoir démontré les forces et les faiblesses de cette dissuasion nucléaire aux missiles de plus en plus raffinés, on montre la possibilité et la force d'une défense territoriale axée sur la « techno-guérilla », une méthode populaire actuellement en Allemagne de l'Ouest et en France. Elle rend impossible l'envahissement d'un territoire, même après un premier massacre considérable qui serait provoqué par des armes nucléaires[6]. Le document œcuménique présente ensuite la dissuasion par résistance civile, qui organise dans l'ensemble d'un territoire la non-collaboration avec un envahisseur[7]. On conclut cette partie en citant une déclaration de 1983 de l'épiscopat catholique français, qui se demande si le temps n'est pas venu « sans renoncer, bien sûr, à la défense armée, d'examiner soigneusement le rôle et l'efficacité des techniques non violentes, de mieux peser leurs risques et leurs chances comme aussi le rôle et les risques de la course aux armements ».

On peut à bon droit se demander si une position apparemment plus centriste que celle des évêques américains n'a pas finalement plus de chances de créer un solide consensus. La volonté collective de non-violence est peut-être, plus que la conversion des politiciens et des financiers, le chemin sûr vers la paix[8].

Le document se termine par une réaffirmation du devoir plus fondamental encore de rendre la paix possible par la pratique des droits humains, par la lutte pour la justice, par la construction de la

---

6. Cf. Alain CARTON, *L'école allemande de techno-guérilla*, publié par CIRPES, 71, boul. Raspail, 75006 Paris, France.

7. Cf. Jean-Marie MULLER, *Vous avez dit « pacifisme »? De la menace nucléaire à la défense civile non-violente*, Cerf, Paris, 1984.

8. « Catholic Social Teaching and the U.S. Economy », dans *Origins*, NC Documentary Service, 14 (Nov. 15, 1984), p. 337-383.

société internationale « sans aller jusqu'à recommander un gouvernement mondial, qui pourrait être dangereux à certains égards ».

L'espérance chrétienne de la paix

Les Églises de France nous rappellent en terminant que « l'Évangile n'a rien à voir avec un optimisme béat qui ferme les yeux sur les réalités déplaisantes. Mais il interdit de considérer comme fatalité les situations les plus bloquées. C'est en ce sens qu'il est Bonne Nouvelle pour tous, même en ce qui concerne le champ politique ». Cette référence à l'espérance, au sens chrétien qui ne se réfère pas à l'incertain mais à l'objectif certain du projet de Dieu, est sans doute ce qui continue d'inspirer et d'orienter les chrétiens après 20 siècles de fidélité, pécheresse mais sincère, à un des objectifs fondamentaux de Jésus Christ. L'ambiguïté de la paix demeure, mais nous n'avons pas le droit de dire que les croyants n'ont pas cheminé depuis que la violence humaine a tenté d'anéantir le plus grand témoin de la paix de tous les temps.

> *Le monde a besoin*
> *de notre témoignage :*
> *qu'on sente, qu'on voie*
> *que l'Eucharistie nous amène à vivre*
> *la justice et l'amour*
> *comme les seules voies d'une vraie paix.*
>
> (Dom Helder Camara)

RESSOURCES

Christian MELLON, *Chrétiens devant la guerre et la paix*, Le Centurion, Paris, 1984.

Bernard QUELQUEJEU et François VAILLANT, *Les Églises contre la bombe? Les Églises chrétiennes et les armements nucléaires*, Cerf, Paris, 1985, 208 pages.

Les extraits les plus significatifs d'une vingtaine de documents d'Églises. Pour alimenter échanges et réflexions.

Pour construire la paix, Recherche œcuménique, Le Centurion, Paris, 1985, 78 pages.

Joseph COMBLIN, *Théologie de la paix*, 2 vol., Paris, 1960.

René COSTE, *L'Église et la paix*, Paris, 1979.

La paix internationale, Documents pontificaux, Paris, 1957.

G.F. NUTTAL, *Christian Pacifism in History*, Berkeley, 1971.

RIC Suppléments, *Guerre, paix et violence*, Bibliographie internationale, CERDIC, Strasbourg, 1982.

Dom Helder CAMARA, *Révolution dans la paix*, Paris, 1970.

PAX CHRISTI, *Chrétiens dans l'univers*, Paris, 1964.

Robert BOSC, *La société internationale et l'Église*, 2 vol., Paris 1962 et 1968.

André BIELER, *Une politique de l'espérance, De la foi aux combats nouveaux*, Paris-Genève, 1970.

Gordon L. ANDERSON, « The Evolution of the Concept of Peace in the Work of the National Council of Churches », dans *Journal of Ecumenical Studies*, 21 (1984), 730-754.

Conférence des évêques catholiques du Canada, « Appel à renoncer aux armements nucléaires », Lettre des Églises du Canada au premier ministre Trudeau, en collaboration avec le Conseil canadien des Églises, dans *La documentation catholique*, n° 1845, 6 février 1983, p. 174-178.

Jean-Marie AUBERT, article « Paix », dans *Catholicisme*, vol. 10, Paris, 1984, col. 417-449.

SUGGESTIONS D'ACTIVITÉS

- Lire (ou relire) les encycliques *Pacem in terris* (11 avril 1963) de Jean XXIII sur la paix entre les nations et *Populorum progressio* (26 mars 1967) de Paul VI sur le développement des peuples. En faire l'étude en groupe.

- Lire les documents récents des diverses Églises sur la guerre et la paix. On trouve les extraits les plus significatifs de ces textes dans B. QUELQUEJEU et F. VAILLANT, *Les Églises contre la bombe? Les Églises chrétiennes et les armements nucléaires*, Cerf, Paris, 1985.

- Au début de chaque année, se faire un devoir de lire le message du Pape pour la Journée mondiale de la paix (1er janvier) et se demander comment le mettre en pratique dans sa vie de tous les jours.

Les chrétiens et la paix

Jean-Claude RAVET*

Franciscain, je me suis engagé activement depuis juin 1982 dans le mouvement pour la paix, date où j'ai participé à un jeûne public de quinze jours à la Cathédrale de Montréal. Depuis, avec d'autres personnes de l'Union des Pacifistes du Québec, j'ai participé à l'organisation et à l'animation de sessions de formation aux principes et aux méthodes de l'action non violente. En juillet 1985, je suis parti pour le Chili vivre dans une fraternité engagée avec les pauvres et dans l'action non violente pour la justice. C'est avec plaisir que j'ai accepté, avant de partir, d'offrir ma contribution, si humble soit-elle, à la prise de conscience au sein de la communauté chrétienne de sa mission de paix à laquelle Jésus nous appelle tous et toutes, et de la force évangélique et révolutionnaire, comme l'appelait Martin Luther King, de la non-violence, si pressante en ces temps où la violence, que nous avons laissée se déployer, menace de nous engouffrer tous.

* Franciscain, membre du comité de coordination de l'Union des Pacifistes du Québec, en mission au Chili depuis juillet 1985.

Dans ce monde où règnent la violence et la guerre, Jésus nous appelle à devenir ARTISANS DE PAIX. Mais sommes-nous conscients de cette mission ? Nous nous disons peut-être que cela ne nous regarde pas, que c'est plutôt l'affaire des politiciens et du gouvernement ? Ou encore que nous n'avons rien à faire pour la paix au Québec puisque nous sommes dans un pays en paix et pacifique ? Certes nous pouvons penser cela, mais l'Évangile sera toujours là pour nous contredire dans quelque recoin de notre conscience, car Jésus est mort sur la croix à cause du péché du monde qui rejoint tout notre être et toutes ses dimensions : politique, économique, sociale, culturelle, morale, spirituelle. La paix, qui est ultimement don de Dieu, a besoin, pour advenir, de nos efforts d'hommes et de femmes travaillant de cœur et d'âme à son avènement.

La paix nous concerne

La course aux armements et l'escalade nucléaire nous concernent directement en tant que chrétien-ne-s car ce qui est fait au nom de la paix a des conséquences directes sur nos vies et la vie des plus pauvres. Notre paix armée se paie au prix de mille guerres larvées, de l'exploitation et du sous-développement du Tiers Monde. La bombe nucléaire qui nous protège tue avant même d'exploser, par la faim, la misère, par les millions de morts qu'elle cause en les laissant mourir, en détournant les ressources naturelles, financières et scientifiques qui pourraient les sauver. Préparer la guerre, c'est déjà la vivre. L'archevêque de Seattle aux États-Unis déclarait, dans une lettre pastorale, que les armes nucléaires protègent des privilèges et l'exploitation : « Abandonner ces armes signifierait abandonner les raisons d'une telle terreur : notre place privilégiée en ce monde. »

Si nous sommes arrivés, tout en adorant le Dieu crucifié, à nous protéger par l'équilibre de la terreur qui menace la vie de milliards d'êtres humains innocents et même l'humanité entière, c'est peut-être que nous avons oublié d'évangéliser une part de nous-mêmes qui reste encore sous l'emprise d'idoles sans visage qui inconsciemment nous font mettre l'Évangile dans l'ombre, au nom d'un certain réalisme politique. Tout en confessant le Christ, nous confessons encore ouvertement par nos actes « l'œil pour œil » de la loi du talion et nous appliquons l'adage de César « si tu veux la paix, prépare la guerre », sans sourciller, jusqu'à l'absurde de leur logique où nous sommes maintenant acculés. Martin Luther King disait : « En dépit que la loi de vengeance ne résout aucun problème social, l'histoire est encombrée des ruines des nations et des individus qui ont suivi ce chemin illusoire. Du haut de la croix, Jésus a proclamé solennellement une loi plus haute. Il savait que la vieille philosophie de l'œil pour œil laisserait tout le monde aveugle. Il ne cherche pas à vaincre le mal par le mal. Il vainc le mal par le bien. »

Le cancer qui nous ronge et que nous avons toujours refusé de regarder en face est maintenant rendu à sa phase critique sinon finale, ce qui nous oblige à appliquer les bons remèdes si nous voulons guérir, à réveiller nos consciences endormies face aux injustices commises sans résistance de notre part, à rompre notre collaboration passive et notre silence complice qui nous rendent responsables des crimes que l'on commet en notre nom et au nom de la paix. Nous avons à choisir entre la vie ou la mort, choisir entre l'Esprit de Jésus et son exigence de justice et d'amour qui conduit à la paix véritable, ou l'esprit de ce monde et sa paix armée jusqu'à la guerre totale qui exigent aujourd'hui le sacrifice de multitudes sur l'autel des puissances et de l'argent.

Changer le monde

La mission des ARTISANS DE PAIX à laquelle Jésus nous convie est exigeante et implique un long processus de changement. Telle la semence qui devient une pousse puis un arbre, l'Esprit s'introduit dans toutes les fibres de notre être pour nous transformer à son image et à sa ressemblance.

Nous ne vivons pas dans un monde où tout est beau et gentil, malgré la publicité qui nous injecte le vaccin contre la mauvaise conscience. Nous sommes appelés à transformer le monde en création de Dieu. La prière attribuée à saint François d'Assise « Fais de moi un instrument de paix », indique bien le sens de notre mission : « Là où il y a la haine que je mette l'amour ». Le monde est entre nos mains comme l'argile que l'artisan pétrit pour en faire un vase, ou le roc qu'il travaille et sculpte en formes légères. Dieu a besoin de notre coopération, si petite soit-elle, pour l'avènement de son Règne, et dans la mesure où nous participons à cette œuvre, nous devenons fils et filles de Dieu.

UN INSTRUMENT DE PAIX

Seigneur,
fais de moi un instrument de paix.
Là où il y a la haine,
    que je mette l'amour.
Là où il y a l'offense,
    que je mette le pardon.
Là où il y a la discorde,
    que je mette l'union.
Là où il y a l'erreur,
    que je mette la vérité.
Là où il y a le doute,
    que je mette la foi.
Là où il y a le désespoir,
    que je mette l'espérance.
Là où il y a les ténèbres,
    que je mette la lumière.
Là où il y a la tristesse,
    que je mette la joie.

Fais, Seigneur,
que je ne cherche pas tant
à être consolé qu'à consoler,
à être compris qu'à comprendre,
à être aimé qu'à aimer.

Car c'est en donnant qu'on reçoit,
c'est en s'oubliant qu'on se trouve,
c'est en pardonnant qu'on est pardonné,
c'est en mourant
qu'on ressuscite à l'éternelle vie.

(Saint François d'Assise)

Ce processus nous fait accepter la conversion comme dynamique permanente de notre vie et faire l'expérience dans notre faiblesse de la puissance de Dieu. Vouloir survivre, c'est reconnaître les racines de violence dans notre existence et les structures de la société. L'arme nucléaire n'est que la pointe de l'iceberg, le fruit mûr d'un système qui ne pouvait que la produire un jour.

Le chemin de libération de Jésus se découvre dans les Béatitudes bouleversantes, le Sermon sur la montagne, véritable programme de vie, sa Bonne Nouvelle aux pauvres. Mais tout au long de l'histoire nous avons trop souvent troqué l'Évangile pour de vieilles nouvelles qui faisaient le jeu des puissances et des violences qui privaient les pauvres d'espérance. C'est pourquoi il est important d'identifier les parties de nous-mêmes qui n'ont pas encore été évangélisées, d'identifier nos idoles qui nous privent des fruits de l'Esprit et nous enferment dans le monde clos de la violence.

Parmi ces idoles, il est bon d'identifier la peur de la mort et l'obéissance aveugle comme peut-être les deux plus grands pourvoyeurs de violence dans l'histoire.

La peur de la mort

La peur de la mort, c'est la peur originelle de l'homme qui, sans arrêt, édifie la vie humaine sur des bases violentes et autodestructrices. Nous sommes tous habités par cette peur, c'est d'elle que Jésus est venu nous libérer et nous ouvrir au chemin de la vie et de la paix. « Il peut renverser, par sa mort, la puissance de celui qui possédait l'empire de la mort, le diable, et délivrer ceux que la crainte de la mort tenait, leur vie durant, dans une vraie servitude » (Hébreux 2, 14-15). La peur de la mort nous enchaîne en effet à la servitude de la violence et du pouvoir, elle lie nos mains et nos consciences ; par elle, nous collaborons avec les pires bourreaux et nous acceptons les pires menaces au nom de la sécurité. Cette peur se caractérise en particulier par notre peur de la paix. Nous ne croyons pas à la paix, nous n'osons pas y croire, car elle exige de nous que l'on se dépouille des fausses sécurités et des avantages que procure une paix armée, surtout si nous sommes du côté des puissants, de ceux qui possèdent les armes. Elle nous lance dans les préparatifs de guerre pour n'avoir pas à faire face aux exigences de la paix, et nous conduit à cautionner les abus de politiques soi-disant « réalistes » qui crucifient les pauvres et le Christ, au nom encore de la justice et de la sécurité de la nation (cf. Jean 11, 50). Nous préférons le risque de la guerre au risque de la paix en refusant la conversion de notre cœur. Car la paix implique la confiance totale en la puissance de Dieu qui se manifeste dans notre faiblesse, le combat pour la justice, la résistance au mal. La guerre est plus sécuritaire, pensons-nous. Les puissances militaires ont toujours été le grand rival de la foi en Dieu, malgré les avertissements des prophètes : « C'est avec Dieu, non avec des armes, qu'on remporte des victoires » (cf. 2 Maccabées 15, 21). Cette peur repose sur notre incapacité de reconnaître notre violence et notre injustice. L'autre est toujours le prétexte qui me protège de la conversion. Ce sont les autres qui sont responsables de ma violence et de l'injustice. Puisque l'autre est violent, je rejette au loin les exigences du Royaume qui me demandent de « faire aux autres tout ce que je désire que les autres fassent pour moi » (cf. Matthieu 7, 12). En sacrifiant l'Évangile à ce « réalisme », on va tout droit au désastre.

Pris dans cet engrenage de peur, de méfiance, d'insécurité, nous sommes peu enclins aux gestes qui désarment, qui désamorcent le conflit, entraînés que nous sommes par la violence des autres, dans l'escalade et la réaction en chaîne des coups donnés et rendus jusqu'à la victoire du plus fort et l'humiliation du vaincu.

L'obéissance aveugle

La peur de la mort engendre une autre idole : l'obéissance aveugle, qui nous attèle aux violences et aux guerres. L'État devient la conscience commune qui excuse et permet ce que la conscience de chacun réprouve. Il sait ce qu'il faut faire, le peuple doit obéir. Parler contre la sacro-sainte sécurité nationale serait faire le jeu de l'ennemi et montrer des signes de faiblesse. Le silence et l'obéissance sont de mise et conduisent à l'institutionnalisation de la violence et de l'injustice.

L'Évangile et Jésus nous libèrent de ces idoles en faisant appel à la vérité libératrice, en ouvrant notre cœur et notre conscience à la volonté de Dieu à laquelle il faut obéir plus qu'aux hommes (cf. Actes 4, 19), en redonnant confiance et pouvoir sur notre vie et notre avenir. La vérité de l'Évangile nous réconcilie avec notre faiblesse et dévoile la puissance de Dieu qui y demeure, Jésus nous invite à reprendre conscience de sa respon-

sabilité dans la création sans se soumettre incondi-
tionnellement aux décisions ni de l'autorité ni de la
majorité. « Rendez à César ce qui est à César et à
Dieu ce qui est à Dieu » (Luc 20, 25), disait Jésus,
affirmant par là la limite du pouvoir de César qui
ne pouvait se prétendre Dieu et exiger des
citoyens ce que Dieu réprouve ou qui ne revient
qu'à Dieu. Certes, on a fait taire Jésus en le
clouant sur la croix, mais il est ressuscité et parle
toujours à notre conscience, car la vérité est plus
forte que le mensonge, la vie plus que la mort,
l'amour plus que la haine. Marcher à la suite de
Jésus, c'est libérer sa conscience des chaînes qui
la musellent et l'endorment, faire entendre sa voix
qui dénonce l'injustice, refuser d'y collaborer et
poser des gestes qui répandent l'amour, la justice
et la paix. Le monde n'est plus au déterminisme de
l'histoire qui fait le jeu des puissances de ce
monde, mais entre les mains de Dieu, le Dieu de
l'histoire qui « renverse les puissants de leur trône
et élève les humbles, comble de biens les affamés
et renvoie les riches les mains vides » (Luc 1, 52-
53). Il s'agit pour les fils et les filles de Dieu que
sont les artisans de paix de prendre l'initiative de la
paix, de la justice et de la vérité, sachant que
l'adversaire n'osera pas la prendre, emprisonné
qu'il est dans sa méfiance et sa peur de lui-même et
de l'autre. Il s'agit de refuser de prendre les armes
de l'injustice pour défendre la justice, sachant que
le mal ne conduit pas au bien. « Qui prend l'épée
périra par l'épée » (Matthieu 26, 52). L'équilibre de
la terreur manifeste l'absurde de la violence
« juste » en menaçant d'engouffrer l'humanité
sous les cendres. « Il n'y a pas de chemin pour la
paix, disait Gandhi, la paix est le chemin. » D'où

l'importance sinon l'urgence, pour les chrétienne-s de mettre en œuvre leur mission de paix dont l'humanité a tant besoin.

La non-violence

Quel est ce combat de Dieu pour la justice, la paix, la vérité auquel nous sommes appelés à nous joindre? Quels sont les outils des ARTISANS DE PAIX? Il m'apparaît de plus en plus clairement que la paix en tant que chemin, c'est la lutte non violente. « Les résistants non violents, disait Martin Luther King, peuvent résumer leur message en une formule très simple : nous entendons agir directement contre l'injustice sans attendre que d'autres le fassent pour nous. Nous n'obéirons pas à des lois injustes, nous ne nous soumettrons pas à des pratiques injustes. Nous ferons tout cela paisiblement, ouvertement et joyeusement. Nous choisissons la voie de la non-violence parce que notre objectif est une communauté en paix avec elle-même. Nous sommes prêts à souffrir et même à risquer nos vies pour témoigner de la vérité telle que nous la concevons. »

La non-violence,
c'est la révolution totale :
celle qui commence
par soi-même
et non pas par les autres,
qui ne commence pas
par bousculer les institutions
mais par retourner le cœur.

(Lanza del Vasto)

La non-violence à laquelle Jésus nous appelle n'est pas celle de la soumission, du statu quo, du silence, de l'indifférence, mais la non-violence de la croix. Le statu quo est dénoncé par la non-violence de la croix comme étant ce qui crucifie le Christ, la tiédeur qui fait vomir (cf. Apocalypse 3, 16), le plus grand pourvoyeur de violence en aliénant ce qu'il y a de plus précieux et digne dans l'être humain : sa conscience. Jésus dénonce cette violence qui fait de chacun ses propres bourreaux, la violence institutionnelle qui broie ses victimes sans que personne ne s'en rende compte, ni ne s'émeuve. Jésus a engagé un combat qui semblait perdu d'avance. Il fut broyé à son tour parmi les boucs émissaires et les criminels, mais jusqu'au bout il tint ferme comme si sa mission eut été de tenir jusqu'à la mort, comme si la croix était l'étape ultime de sa lutte. Transfigurant ses paroles par son sang, insufflant à ses actes l'Esprit de sa vie donnée, il ouvrait un chemin de libération insoupçonnée. Aussi dit-il sur la croix : « Tout est accompli » (Jean 19, 30). N'avait-il pas déjà enseigné : « Celui qui voudra garder sa vie la perdra, celui qui la donnera la sauvera » (cf. Luc 9, 24). Qu'est-ce que garder sa vie, sinon choisir le silence, la compromission au pouvoir, la sécurité à l'abri de la bombe et du génocide, la richesse sur les monceaux de misère, les palais sur les multitudes de calvaires sans nom. Qu'est-ce que garder sa vie, sinon se taire, coopérer au mal et offrir son effort et sa vie au monstre qui broie et égorge les esclaves de la terre (cf. Apocalypse 18, 24). Et que signifie perdre sa vie ? N'est-ce pas la donner à celui qui souffre, risquer la libération, la paix, la justice, la non-coopération au mal, refuser, même au prix de sanctions, de nourrir l'injustice par son silence ou l'abandon de sa responsabilité. Qu'est-ce que perdre sa vie, sinon la risquer pour le respect et la dignité de la vie humaine.

Agir

Ce combat s'amorce par la prière et le jeûne qui portent l'espérance de Dieu d'une humanité nouvelle et nous l'insuffle dans toutes les fibres de notre être. Il se continue par des actions sur le terrain : lettres, manifestations, refus de payer ses impôts « militaires » (12 % des impôts) qui nous rendent complices dans la préparation de l'holocauste nucléaire, etc. Il faut s'impliquer, se compromettre et témoigner, en paroles et en actes, que la paix ne s'obtient pas en préparant la guerre mais en prenant l'initiative de la paix, du désarmement, pour désamorcer le conflit qui s'envenime par la méfiance et la peur, et aussi, et surtout, en reprenant sur nous notre responsabilité de citoyen-ne-s et de chrétien-ne-s dans la gestion des conflits, en n'acceptant jamais de devenir complice d'une injustice en y coopérant.

La paix est un risque. C'est peut-être cela porter sa croix. Refuser de prendre ce risque, c'est nous condamner à la guerre sans retour. Dietrich Bonhoeffer, théologien allemand, décapité en 1944 par les nazis, déclarait : « Le chemin vers la paix ne passe pas par le chemin de la sécurité. Car la paix doit être un risque. C'est la grande aventure. Jamais on ne peut la rendre sûre. La paix est à l'opposé de la sécurité. Exiger des garanties, c'est faire preuve de méfiance, et cette méfiance, à son tour, entraîne d'autres guerres. Rechercher des garanties, c'est vouloir se protéger. La paix signifie se livrer totalement à la loi de Dieu, sans avoir besoin de sécurité mais en plaçant, dans la foi et l'obéissance, le destin des nations dans la main du Dieu tout-puissant, en ne tentant pas de l'orienter à des fins égoïstes. C'est avec Dieu, non avec des armes, qu'on remporte les victoires. On les remporte quand le chemin conduit à la croix. »

RESSOURCES

Mary Alban BOUCHARD, *Peace is possible*, Novalis, 1986, 224 pages.
Le correspondant en anglais de l'ouvrage ARTISANS DE PAIX. Non pas une traduction mais un livre au contenu différent.
3,00 $ plus frais de poste.

PAX CHRISTI INTERNATIONAL, *Pour une spiritualité de la paix*, Belgique, 1983.

Christian MELLON, *Chrétiens devant la guerre et la paix*, Le Centurion, Paris, 1984.

Bernard QUELQUEJEU et François VAILLANT, *Les Églises contre la bombe? Les Églises chrétiennes et les armements nucléaires*, Cerf, Paris, 1985.

Faire la paix, Revue « Fêtes et Saisons », n° 391, janvier 1985.

Jacques SEMELIN, *Pour sortir de la violence*, Cerf, Paris, 1983, 224 pages.

Jean TOULAT, *Combattants de la non-violence*, Cerf, Paris, 1983.

Jean-Marie MULLER, *Vous avez dit « pacifisme »? De la menace nucléaire à la défense civile non-violente*, Cerf, Paris, 1984.

La paix n'est pas une mission parmi d'autres. Elle est LA mission par laquelle nous nous accomplissons en tant que chrétiens et chrétiennes, incarnant par nos actes le message de Jésus, Espérance et Salut du monde. La paix sera le fruit de l'abandon des hommes et des femmes à la Bonne Nouvelle de Jésus qu'ils voudront bien accomplir, le fruit de la conversion en paroles et en actes. La puissance de Dieu se manifeste dans notre faiblesse.

SUGGESTIONS D'ACTIVITÉS

- Dans sa paroisse, mettre sur pied un comité chargé de proposer des réflexions à l'ensemble de la paroisse et d'organiser des activités dans le milieu, sur la paix.

- Dans la liturgie, relever tous les endroits où il est question de paix. Échanger pour en approfondir le sens et préciser à quoi cela nous engage.

- Jeûner pour la paix.

- Inviter les familles à prier pour la paix à la maison.

- Suggérer aux parents de s'abstenir de donner des jouets militaires à leurs enfants.

- À l'occasion de la Semaine du désarmement (qui débute chaque année le 24 octobre, date de fondation des Nations Unies), organiser dans sa paroisse une célébration sur le thème de la paix.

LA PRIÈRE ET LE GUERRIER

Il y avait une fois un méchant voïvode* nommé Gordien. Il traquait les justes et les torturait.

Celui que Gordien détestait le plus était le moine Mirone, l'ermite charitable qui faisait le bien sans nulle peur, et priait sans cesse.

Le voïvode appela son serviteur fidèle, le vaillant Yvan le Guerrier, et lui dit : « Yvan, va tuer le moine Mirone, tranche-lui la tête et que je la donne à manger à mes chiens. »

Yvan s'en alla obéissant mais le cœur amer, se disant : « Je n'y vais pas de ma propre volonté, c'est par nécessité que je le fais. Il faut croire que c'est le destin que Dieu m'a assigné. »

Ayant caché son glaive sous son manteau, Yvan arrive auprès de l'ermite et le salue : « Es-tu toujours en bonne santé, petit vieux ? Dieu t'a-t-il toujours en sa sainte garde ? »

Mais le moine, clairvoyant, se mit à sourire et ses lèvres sages laissèrent tomber ces mots : « Yvan, n'essaie pas de mentir, je sais pourquoi tu es venu. Le Seigneur connaît tout. Les bons et les méchants sont dans sa main. Je sais pourquoi tu es venu. »

Yvan eut honte, mais il craignait de mentir à son voïvode. Alors, tirant le glaive de son fourreau de cuir, il essuya la lame au revers de son manteau.

« Mirone, dit-il, je voulais arriver à te tuer sans que tu voies le glaive, mais maintenant, prie Dieu pour la dernière fois, prie-le pour moi, pour toi, pour toute la race humaine ; après quoi je te trancherai la tête. »

---

* Dans les pays balkaniques, haut dignitaire civil ou militaire.

Le moine Mirone se mit à genoux sous un jeune chêne et dit en souriant à Yvan : « Yvan, ton attente sera longue, car la prière pour la race humaine dure longtemps et tu ferais mieux de me tuer tout de suite que de te fatiguer à attendre en vain. »

Alors, Yvan a froncé les sourcils et il s'est rengorgé : « Non, ce qui est dit, est dit ; je t'attendrai, fût-ce un siècle. »

Le moine pria jusqu'au soir.
Puis du soir à l'aurore, il continua.
Puis de l'aurore à l'autre nuit, il pria encore.
Et de l'été au printemps, sa prière se prolongea.
Les ans s'ajoutaient aux ans, Mirone priait encore.
Le jeune chêne monta jusqu'aux nuages.
Une forêt épaisse était née de ses glands.
La sainte prière n'était pas terminée.

Et aujourd'hui encore, le moine, tout bas, murmure les paroles rédemptrices. Il demande à Dieu d'avoir pitié des humains, à la Vierge, de leur apporter secours.

Yvan le Guerrier est toujours debout près de lui. Depuis longtemps son épée est tombée en poussière et son armure est rongée par la rouille. Ses beaux habits sont en loque et en pourriture. Hiver comme été, Yvan reste là. Et le gel mord, et la chaleur brûle, et il demeure quand même. Et les loups et les ours passent sans le regarder.

Depuis, la prière que le vieux moine adresse pour les pauvres pécheurs que nous sommes, coule toujours, aussi longue qu'il y a de pécheurs. Elle coule comme une claire rivière qui baigne la terre, fraîche et douce comme la miséricorde de Dieu.

(Légende russe)

Vaincre la guerre, gagner la paix

Jean-Guy VAILLANCOURT
et Ronald BABIN*

Selon la sociologue Metta Spencer, de l'Université de Toronto, l'une des fondatrices du nouveau mouvement canadien pour le désarmement et la paix des années 80, la question qu'il faut se demander concernant l'engagement des gens dans ce mouvement, ce n'est pas pourquoi les gens s'y impliquent, mais plutôt *pourquoi tout le monde n'en fait pas partie.* Le danger d'une guerre nucléaire, qui serait inévitablement suivie d'un long hiver nucléaire, est tel qu'il serait seulement logique que tous sans exception se mettent à militer contre la guerre et deviennent des artisans de paix.

Excuses et prétextes

À notre avis, ce qui empêche les gens de participer dans les groupes qui militent pour la

---

* Jean-Guy Vaillancourt est directeur du département de sociologie de l'Université de Montréal. Ronald Babin est chercheur post-doctoral au département de sociologie de l'Université de Montréal. Ils ont réalisé *Le mouvement pour le désarmement et la paix*, numéro spécial de la « Revue internationale d'action communautaire » (n° 12/52, automne 1984).

paix et le désarmement, c'est souvent l'apathie (« j'aimerais bien faire quelque chose, mais je ne sais pas où m'adresser, et d'ailleurs je n'ai pas le temps de m'occuper de ça »), le cynisme (« les discours et les marches pour la paix, ça ne change rien »), la peur de s'engager (« je refuse de m'embarquer avec cette gang de contestataires jamais contents »). Même quand les gens commencent à se rendre compte du fait que la course aux armements ne sauvegardera pas la paix, mais nous conduit inexorablement vers une guerre horrible, qui pourrait détruire la vie sur la planète, ils trouvent encore de nouvelles excuses et des prétextes fallacieux pour ne pas s'impliquer activement.

Par exemple, certains ne veulent pas déplaire aux Américains, ou ils refusent de reconnaître la nature belliqueuse du gouvernement Reagan, ou ils s'en réfèrent à leurs leaders politiques traditionnels. D'autres ont peur des foudres de la police ou des commentaires des bien-pensants, ou ne veulent pas déranger leur confort immédiat. D'autres encore, influencés par une propagande manichéenne, craignent de faire le jeu des Russes. Trop souvent ces derniers ne se rendent pas compte du fait que dans les pays de l'Est, il existe aussi des groupes pour la paix indépendants du pouvoir officiel et que ceux-ci se font également accuser de faire, par leurs actions pour le désarmement, le jeu de l'adversaire (les Américains cette fois). Malgré cela, et malgré les dangers encourus, il se trouve de nos jours de plus en plus de gens courageux à l'Est, prêts à faire partie de ces groupes non officiels, surtout lorsqu'ils sentent un appui et une solidarité se développer dans les mouvements pour le désarmement à l'Ouest.

Il y a du monde qui s'imagine que ceux qui militent pour la paix en Occident se font dicter leur ligne de pensée et d'action par Moscou, qu'ils sont des agents payés par les Soviétiques ou tout au moins des dupes des « communistes ». Il serait faux de dire qu'il n'y a pas de militants pro-soviétiques dans le mouvement canadien ou québécois de la paix, mais de là à les croire omnipotents et omniprésents, il y a toute une marge. En fait, les non-alignés, c'est-à-dire ceux qui refusent de faire le jeu des dirigeants de l'URSS et des dirigeants des États-Unis, sont de plus en plus nombreux et influents au sein du mouvement québécois et canadien pour la paix, et ils sont même en train de créer des liens avec des groupes de paix non officiels et non alignés dans les pays de l'Est comme de l'Ouest et dans le Tiers Monde.

Par exemple, un *Réseau européen pour un dialogue Est-Ouest alternatif* a été fondé en 1984 et a tenu sa première rencontre formelle les 8, 9 et 10 février 1985 à Berlin, réunissant dans un même forum des représentants de groupes provenant de l'Ouest et de l'Est (voir l'article à ce sujet dans *Le Devoir* du samedi 11 mai 1985).

Il existe bien sûr des différences et des tensions entre diverses tendances à l'intérieur du mouvement, mais ce n'est pas là un motif qui pourrait donner raison aux gens de se laver les mains du problème de la paix et de la justice dans le monde. C'est plutôt une raison de plus pour bien s'informer et pour s'impliquer sérieusement. Les quelques pages qui suivent tenteront donc de mieux faire comprendre la nature et les orientations de l'actuel mouvement pour le désarmement et la paix au Canada et surtout au Québec, pour encourager le lecteur à s'y impliquer personnellement.

Le mouvement pour la paix

Un mouvement pour la paix important a pris essor au Canada et au Québec, depuis le début des années 80, suite à l'aggravation des tensions entre les États-Unis et l'URSS. À bien des égards, si l'on en juge d'après les divers indicateurs dont on dispose, par exemple la fréquence et l'ampleur des manifestations, la variété des types d'interventions et d'actions, l'hétérogénéité sociale et politique des participants, la couverture dans les mass media, le sérieux et la profondeur des engagements suscités, la persistance et la récurrence des mobilisations, il semble bien que ce mouvement a une portée et exerce une influence plus considérables que les deux autres efforts majeurs de mobilisation pour la paix qui l'ont précédé depuis la fin de la Seconde Guerre mondiale, c'est-à-dire le mouvement antibombe des années 50 et 60 et la lutte contre la guerre au Vietnam durant les années 60 et 70.

L'explication principale de ce plus grand potentiel mobilisateur pourrait bien se trouver, selon nous, non seulement dans le danger accru d'un holocauste nucléaire occasionné par la compétition entre l'Est et l'Ouest, mais aussi dans des changements de nature à l'intérieur du mouvement lui-même. En comparaison avec ceux qui l'ont précédé, le mouvement actuel est beaucoup plus diversifié au niveau de son recrutement et au niveau des préoccupations qu'il véhicule. De plus, le recul notable de l'influence de personnes et de groupes alignés sur les positions de l'une ou de l'autre des deux superpuissances a eu pour effet de rassurer les militants potentiels concernant les manipulations possibles du mouvement par Moscou ou par Washington.

Les anciens mouvements de paix étaient souvent perçus comme étant l'affaire de jeunes gauchistes, de communistes et d'anarchistes, de pacifistes et de neutralistes, de dupes de Moscou et d'idéalistes impénitents. Le nouveau mouvement n'a plus cette image négative, car il est beaucoup plus large et diversifié; il comprend des jeunes et des personnes âgées, des chrétiens et des agnostiques, des libéraux et des socialistes, des écologistes et des féministes, des activistes et des personnes qui osent à peine manifester dans la rue, écrire une lettre ou signer une pétition.

Les nouveaux militants ne sont donc pas tous des pacifistes ou des neutralistes au sens strict du terme, ni même des gens très politisés. Leurs motivations sont très diverses. Certains cherchent tout simplement à empêcher un holocauste nucléaire, d'autres désirent uniquement arrêter ou freiner la course aux armements (nucléaires, chimiques ou conventionnels), d'autres veulent seulement un gel partiel ou complet, d'autres travaillent pour le désarmement unilatéral, bilatéral ou multilatéral, d'autres enfin essaient de mettre un terme aux guerres plus ou moins injustes qui affligent actuellement l'humanité. Certains par exemple vont même jusqu'à tolérer de façon provisoire la dissuasion en faisant une subtile distinction entre la menace et l'emploi, tandis que d'autres iront jusqu'à accepter la légitimité de certaines guerres de libération contre un oppresseur ou un agresseur injuste et violent. La plupart toutefois se déclarent clairement comme non-alignés, tant à l'égard des Soviétiques qu'à l'égard des Américains, mais plusieurs mettent davantage le blâme d'un côté que de l'autre, alors que certains renvoient les deux camps dos à dos.

Au Canada, et au Québec particulièrement, il y a des différences dans le mouvement pour la paix entre les non-alignés et les alignés pro-soviétiques et aussi entre ceux qui veulent que le Canada se retire de l'OTAN et du NORAD, et ceux qui préfèrent que notre pays y reste. Presque tous veulent une plus grande autonomie à l'égard des USA (par exemple, en ce qui concerne les essais des missiles de croisière et la « guerre des étoiles ») mais certains sont autant, sinon plus, anti-soviétiques qu'anti-américains, alors que quelques-uns suivent les directives véhiculées par le Conseil mondial et le Conseil canadien de la paix, deux organismes passablement pro-URSS.

Renverser la course aux armements

En somme, le mouvement est très éclaté au plan des options qu'il véhicule, mais on y trouve quand même des positions communes générales qui font qu'on peut parler d'*un* mouvement. En fait ce mouvement vient de s'organiser au plan canadien, sur un mode assez souple, pour se donner une plus grande crédibilité et une meilleure efficacité et pour respecter la diversité des tendances.

Ce minimum commun, c'est sans doute l'insistance sur l'arrêt de la course aux armements, c'est-à-dire la priorité accordée au souci de bâtir la paix et d'éliminer la guerre en exigeant le renversement de la course aux armements. Nous avons là un mouvement dont le commun dénominateur est la lutte contre la folie nucléaire entretenue par des élites économiques, politiques et militaires de l'Ouest comme de l'Est, un mouvement qui n'attend pas grand chose des négociations bilatérales entre l'URSS et les USA et qui par conséquent voit la paix se construire à partir de la confiance réciproque entre les personnes et les groupes à la base. Ce mouvement a donc choisi de ne plus donner carte blanche à la logique étatique et veut plutôt mettre l'accent sur l'implication plus grande des populations elles-mêmes dans les questions importantes de la guerre et de la paix.

Cette nouvelle orientation découle de l'analyse de la situation internationale contemporaine

LE FLOCON DE NEIGE

— Dis-moi combien
pèse un flocon de neige ?
demanda la mésange charbonnière
à la colombe.
— Rien d'autre que rien,
fut la réponse.
Alors, la mésange
raconta à la colombe
une histoire :
J'étais sur la branche d'un sapin
quand il se mit à neiger,
doucement, sans violence.
Comme je n'avais rien
de mieux à faire,
je commençai à compter les flocons
qui tombaient sur la branche
où je me tenais.
Il en tomba 3,751,952.
Lorsque le 3,751,953^e
tomba sur la branche,
celle-ci cassa.
Sur ce, la mésange s'envola.
La colombe,
une autorité en matière de paix
depuis l'époque de Noé,
réfléchit un moment
et se dit finalement :
— Peut-être ne manque-t-il
qu'une personne
pour que tout bascule
et que le monde vive en paix.

(N. Moreau)

faite par les participants au mouvement anti-guerre. Il est devenu de plus en plus évident qu'il ne suffit plus d'essayer de prévenir à court terme le déclenchement d'une troisième guerre mondiale mais qu'il faut aussi savoir reconnaître les causes profondes de la présente accélération de la course aux armements, afin d'apprendre, dans le long terme, à construire la paix. Nous estimons que ce n'est qu'à la lumière d'une telle analyse de la logique interne de la course aux armements qu'il devient possible de déjouer la menace croissante d'une guerre nucléaire. Le mouvement pour la paix est en train d'essayer de dépasser les blocages idéologiques du conflit Est-Ouest et de déborder les divisions artificielles qui entretiennent les tensions internationales.

Une rivalité permanente

Les quarante années qui se sont écoulées depuis la Deuxième Guerre mondiale offrent le recul nécessaire au développement d'une telle analyse. En 1945, la phase militaire intensive de la guerre se termine avec les accords de Yalta, puis avec ceux de Potsdam, qui consacrent plus ou moins implicitement la division de l'Europe et d'une partie du monde en deux grandes sphères d'influence opposées. À la suite d'importantes décisions prises par quelques individus, des millions de personnes se trouvent ainsi placées devant une situation de fait qui se caractérise par son aspect profondément non démocratique et par son caractère extrêmement déstabilisant. En effet, au lieu de régler les problèmes issus de la Seconde Guerre mondiale, ce genre d'accord a rendu possible leur perpétuation sous des formes nouvelles, par la rivalité qu'il a établie entre des « ex-alliés » devenus de nouveaux « ennemis ». La guerre est alors entrée dans une phase larvée qu'on a appelée la guerre froide, alors qu'on procédait de part et d'autre à un réajustement aux nouvelles données. La forme du conflit s'est modifiée ; elle a toujours pour terrain la planète toute entière, mais ce qui change est sa conduite. La lutte se fait plus voilée et souvent par pays interposés. De nombreux événements historiques bien connus jalonnent cette période et témoignent de cet état de rivalité permanente. Voici une liste non exhaustive de ces événements : le blocus de Berlin, le plan Marshall, la création de l'OTAN, la guerre de Corée, la création du Pacte de Varsovie, l'invasion de la Hongrie, l'affaire des missiles à Cuba, la détente, l'invasion de St-Domingue, la guerre du Vietnam, le coup de Prague, les guerres au Proche-Orient, le déploiement des SS-20, la crise iranienne, le déploiement des missiles Cruise et des Pershing 2, l'invasion de l'Afghanistan, l'établissement de la loi martiale en Pologne, la guerre des Malouines, l'invasion de la Grenade, les tentatives pour renverser le gouvernement du Nicaragua, la crise en Afrique du Sud et l'introduction de la guerre froide dans l'espace avec le projet de « guerre des étoiles ».

Le nombre de guerres locales et de victimes civiles augmente depuis la fin de la Seconde Guerre mondiale. On estime à plus de 20 000 000 le nombre total de victimes des quelque 150 conflits locaux déclenchés depuis 1945. La période dite de « détente » a donc servi de tremplin à la présente phase accélérée de la course aux armements. C'est effectivement durant cette période que l'on a conçu les nouvelles générations d'armes nucléaires (et non nucléaires) tactiques que l'on déploie aujourd'hui tant à l'Est qu'à l'Ouest, et que l'on a modernisé les doctrines militaires pour les adapter aux nouveaux systèmes d'armes plus sophistiquées afin de tenir compte de leur utilisation éventuelle.

Avec tous ces nouveaux développements, l'on est amené à constater un approfondissement de la logique bipolaire de la militarisation des USA et de l'URSS, et la perpétuation d'un état de menace permanente, symptôme d'une lutte apparemment sans fin pour le pouvoir et la domination au plan international. Dans ces conditions, le système de négociations crée l'illusion qu'on s'occupe du problème, alors qu'en fait le résultat net s'apparente davantage à une gestion de la rivalité militaro-politique et de la course aux armements. L'équilibre des forces prétendument recherché comme gage de paix constitue en réalité le moteur de cette course aux armements, car c'est la suprématie qui est visée plutôt que l'équilibre.

La dynamique qui en découle est constituée, des deux côtés, de petits pas unilatéraux qui mènent inéluctablement à une escalade sans précédent d'armes meurtrières, à l'instabilité internationale et à la multiplication des conflits armés. L'éventualité d'une troisième guerre mondiale apparaît ainsi inscrite dans la logique interne de la course aux armements et cette spirale infernale pousse de plus en plus de personnes à reconnaître qui si l'on veut bâtir la paix c'est avec la logique des blocs, symbolisée par Yalta, qu'il faut rompre. Par conséquent, les mouvements canadien et québécois visent surtout à renverser la course aux armements et à faire jouer au gouvernement et aux citoyens canadiens un rôle indépendant en faveur du désarmement et pour une démocratisation des relations internationales.

L'OTAN (comme la Pacte de Varsovie d'ailleurs) est une cible importante de l'aile la plus radicale du mouvement pour la paix. Cette alliance militaire dominée par les États-Unis contribue à asservir notre politique étrangère aux visées hégémoniques de Reagan. Se dissocier de l'OTAN et des États-Unis, d'une part, et du Pacte de Varsovie et de l'URSS d'autre part, c'est contribuer à élargir la sphère de liberté des peuples situés dans la zone d'influence des superpuissances et à dépolariser le conflit qui les oppose. Moins les blocs de l'Est et de l'Ouest seront forts et compacts, plus leurs dirigeants hésiteront à se lancer dans des aventures militaires.

Groupes canadiens

La nouvelle Alliance canadienne pour la paix qui est en train de s'organiser depuis le printemps de 1985 a pour objectifs d'impliquer la population dans un processus de désarmement, de faire du Canada une zone libre d'armes nucléaires, d'orienter les fonds gaspillés dans les dépenses militaires vers des besoins importants, de renforcer les institutions internationales et les mécanismes pacifiques de résolution des conflits, de dissoudre tous les blocs militaires et d'affirmer l'indépendance de notre politique étrangère.

(Suite, p. 186)

QUELQUES MOUVEMENTS POUR LA PAIX

- **Union des Pacifistes du Québec**
  1264, St-Timothée, Montréal, Qué. H2L 3N6
  Tél. : (514) 849-1956.
  Mouvement qui lutte contre toutes les causes de la guerre et contre toute violence. Il propose la défense civile et populaire non violente comme alternative à l'armée.

- **La Voix des Femmes**
  743, Antonine-Maillet, Outremont, Qué. H2V 2Y4 Tél. : (514) 738-3663.
  Fondée en 1960, cette organisation lutte contre la guerre, pour la protection de l'environnement et pour les droits de la personne en général.

- **Project Ploughshares**
  Organisme national qui a été mis sur pied par le Conseil canadien des Églises. Cherche à promouvoir les politiques canadiennes qui préconisent la paix et non la guerre.
  Offices nationaux :
  — Project Ploughshares, Institute of Peace and Conflict Studies, Conrad Grebel College, Waterloo, Ont. N2L 3G6 Tél. : (519) 888-6541.
  — Project Ploughshares, 190, Lees Avenue, Room 1616, Ottawa, Ont. K1S 5L5 Tél. : (613) 563-0757.
  Section locale de Montréal (il y a 45 sections locales au Canada) :
  — Project Ploughshares — Montréal, 3415, ave Simpson, Montréal, Qué. H3G 2J6 Tél. : (514) 935-1571.

- **Pax Christi**
  44, rue de la Santé, 75014 Paris (France).
  Tél. : 336-36-68.
  Mouvement catholique pour la paix. Insiste sur l'éducation à la paix. Le Mouvement international Pax Christi a obtenu le Prix de l'UNESCO en 1983 (Prix d'éducation à la paix). Il n'y a malheureusement pas de section canadienne ou québécoise de Pax Christi.

- **Professionnels de la santé pour une responsabilité nucléaire (PSRN)**
  1110, ave des Pins ouest, Montréal, Qué. H3A 1A3 Tél. : (514) 845-7062.
  Ce groupe constitue la section montréalaise de l'organisme canadien *Médecins pour une responsabilité sociale (MRS)*. Il est affilié à l'organisation internationale *Médecins pour la prévention de la guerre nucléaire (MPGN)* qui est co-présidée par les cardiologues américain Bernard Lown et soviétique Evgueni Chazov et qui a gagné le prix Nobel de la Paix en 1985.

- **Conférence Mondiale des Religions pour la Paix (CMRP)**
  Organisme international dont les membres appartiennent aux diverses traditions religieuses de l'humanité. Favorise la rencontre interreligieuse par des dialogues, des repas de la paix, des conférences, la prière commune, des programmes d'éducation. En coopération avec les autres organisations pour la paix, s'efforce d'éliminer les causes de la guerre et de promouvoir dans le monde un ordre plus juste et plus humain.
  Secrétariat canadien francophone : 1420, bd Mont-Royal, Montréal, Qué. H2V 2J2 Tél. : (514) 271-4888.

La mobilisation des groupes canadiens, depuis 1981, n'a peut-être pas empêché les essais des missiles de croisière en Alberta par les Américains, mais elle a réussi à sensibiliser suffisamment la population pour que Mulroney se sente obligé de ne pas s'aligner complètement sur Reagan dans l'affaire de la « guerre des étoiles ». Ce n'est pas une très grande victoire pour le mouvement, puisque Mulroney, tout en affirmant que le gouvernement canadien ne s'engagerait pas directement avec Washington dans la recherche pour l'Initiative de défense stratégique (IDS) ou « guerre des étoiles », n'empêchera pas les entreprises et les scientifiques de faire des recherches et permettra même l'obtention d'octrois et de subventions gouvernementales à cette fin.

Au Québec, comme au Canada, la paix est devenue une préoccupation majeure depuis quelques années. Les manifestations d'octobre à Montréal rallient toujours un nombre considérable de manifestants, mais c'est à d'autres endroits et à d'autres niveaux surtout que le mouvement exprime sa vigueur. Le nombre de groupes, de colloques et d'écrits sur la paix, ainsi que de centres pour le désarmement, a augmenté de façon marquée en quelques années à peine. Dans les mass media, le thème de la paix suscite des reportages et des articles de plus en plus sérieux sur une variété de questions portant sur le désarmement et la paix. La tendance qui s'est alignée sur les positions du *Conseil québécois de la paix* a perdu beaucoup de crédibilité parmi les militants, malgré les efforts inouïs de métamorphoses et les tentatives de contrôle organisationnel (marche de la paix, Caravane de la paix,

Alliance Québec de la paix, revue *Zone libre*). Les rares pro-soviétiques et leurs tactiques sont davantage connus, et on les voit venir des milles à la ronde avec leurs gros sabots. On ne les prend plus trop au sérieux parce qu'on sait qu'ils ne représentent rien sauf eux-mêmes. Les non-alignés regroupés dans la *Coalition québécoise pour le désarmement et la paix* (CQDP) ont accepté pour la manifestation du 19 octobre 1985 de mettre l'accent sur la reconversion industrielle telle que proposée par les syndicats CSN et CEQ avec leur programme intitulé « Un F-18 pour la paix », parrainé par Monseigneur Adolphe Proulx, Claire Bonenfant et Francine Fournier. La CQDP estime que cette campagne est une autre façon de réaffirmer son thème d'octobre 1984, « Désarmer pour développer autrement », et que la réflexion qu'elle peut nourrir chez les syndiqués constitue un pas important vers la démilitarisation et vers la reconversion industrielle des industries d'armement.

Pour leur part, les groupes membres de la *Coalition québécoise pour le désarmement et la paix* continuent à travailler selon l'esprit des cinq points de leur plate-forme dans leurs régions et leurs milieux respectifs pour favoriser le renversement de la course aux armements tant à l'Est qu'à l'Ouest, pour stimuler le Canada à adopter une position indépendante des États-Unis en se déclarant zone libre d'armes nucléaires et en refusant sur ses territoires les essais et le stationnement de systèmes d'armes américaines, pour révéler l'ampleur de la production militaire au Québec et souligner le potentiel positif de la reconversion économique, pour sensibiliser les gens au sujet du sous-développement chronique et de la militarisation croissante du Tiers Monde qui accompagnent l'interventionnisme des superpuissances et, enfin, pour défendre les droits de tout le monde à l'Est et à l'Ouest de travailler librement pour la paix sans avoir à souffrir de la répression.

Quant à l'opposition à la « guerre des étoiles », c'est un des thèmes importants qui est venu s'ajouter aux autres dans les priorités des non-alignés québécois sans toutefois devenir le thème central et la préoccupation unique. Après deux ans d'existence, le bulletin *Option-Paix* est devenu une revue attrayante et remplie d'information qui se situe dans une perspective nettement non-alignée, contrairement à la nouvelle revue *Zone libre* qui réussit mal à cacher son option alignée sur l'idéologie du Conseil mondial de la paix.

Réalisations et projets

En 1985, il y a eu une certaine démobilisation chez les leaders et les militants de quelques groupes et regroupements, mais cela a été largement compensé par l'extension qu'a pris le mouvement à la base, dans les quartiers, les écoles et les régions et dans l'opinion publique. Le mouvement est devenu beaucoup plus sérieux intellectuellement et beaucoup plus réflexif, et Montréal n'est plus l'unique endroit ou presque où il se passe des choses. Le 19 octobre 1985, des manifestations ont eu lieu dans une dizaine de villes du Québec. Déjà, l'année 1986, qui a été déclarée Année internationale de la paix par l'ONU, s'annonce très remplie au niveau des projets et des activités pour la paix. Un nombre important de colloques, de conférences, de publications et de programmes audiovisuels verront le jour. Les campagnes pour déclarer zone libre d'armes nucléaires des villes et des quartiers sont déjà en marche, les *Voyageurs et Voyageuses de la Paix* réussiront peut-être à s'envoler vers les capitales des pays membres du Conseil de sécurité de l'ONU et l'Association d'économie politique du Québec fera porter son congrès annuel sur le

---

QUELQUES PRIX NOBEL DE LA PAIX

1964   Martin Luther King (États-Unis)

1973   Dom Helder Camara (Brésil)

1974   Sean McBride (Irlande)
Président d'Amnesty International

1975   Andréi Sakharov (URSS)

1977   Mairead Corrigan et Betty Williams (Irlande)
et Amnesty International

1979   Mère Teresa (Inde)

1980   Adolfo Perez Esquivel (Argentine)

1982   Mme Alva P. Myrdal (Suède) et M. Alfonso Garcia (Mexique) : deux militants des campagnes de désarmement

1983   Lech Walesa (Pologne)

1984   Desmond Tutu (Afrique du Sud)

1985   Internationale des médecins pour la prévention de la guerre nucléaire

---

thème « Écologie et paix ». Même le gouvernement du Québec était en train de mettre sur pied, à l'automne 1985, une ambitieuse liste de projets pour l'Année de la paix. La voix des non-alignés québécois est finalement entendue, non seulement à Québec même, mais aussi par ceux qui s'occupent de paix à Ottawa et dans le reste du Canada. Les *Artistes pour la paix* et des dizaines d'autres groupes sont en train de se réactiver après une période de léger fléchissement. Serge Losique a annoncé que la paix serait le thème principal retenu pour le Festival des films du monde à Montréal en 1986, ce qui devrait contribuer à sensibiliser encore davantage les gens sur les questions de désarmement. Une campagne pour faire aboutir un traité international pour bannir tous les essais nucléaires partout dans le monde pour toujours est en train de se mettre en marche, et l'année 1986 sera décisive à cet égard.

Une partie du mouvement au Québec s'est orientée depuis quelque temps vers l'action directe non violente comme méthode d'opposition aux politiques militaristes des gouvernements. Le refus de collaboration qu'implique la désobéissance civile, les occupations pacifiques, le refus de payer les impôts militaires empêche le pouvoir de mettre en œuvre ses desseins belliqueux. Des exercices comme l'Opération Nez-Rouge 1985, qui a vu 4 000 militaires et 1 000 véhicules envahir la région des Bois-Francs en janvier 1985, le champ de tir de plus de 100 km^2 pour avions de combat que le fédéral veut implanter au Lac St-Jean, la production effrénée d'armes, surtout dans la région de Montréal, sont autant de problèmes spécifiquement québécois auxquels des artisans de paix de chez nous devront s'atteler. Les emplois dans le secteur militaire que nous donnent le fédéral et les entreprises subventionnées par lui sont des cadeaux empoisonnés qu'il faut transformer grâce à la reconversion industrielle. Le mouvement pour le désarmement et la paix s'intéresse donc à la reconversion industrielle, à la création d'emplois qui sont utiles pour répondre aux besoins réels des gens, mais il s'intéresse aussi à la justice sociale, au développement et à la solidarité internationale, aux droits humains et à la liberté.

Le mouvement pour la paix aura une occasion unique en 1986 non seulement d'éduquer la population sur les aspects encore peu connus de la course aux armements (par exemple, le danger d'une guerre nucléaire accidentelle, la « guerre des étoiles », la militarisation croissante de nos océans, l'hiver nucléaire), mais de lui donner aussi des moyens pratiques et concrets pour lutter pour la paix. En 1985, plusieurs douzaines de personnes sont allées jusqu'à se faire emprisonner à Montréal pour commémorer par le projet des ombres (la peinte d'ombres blanches sur la chaussée publique) le bombardement d'Hiroshima et de Nagasaki et surtout pour empêcher que cela ne se répète. Les manifestations de désobéissance civile sont une excellente façon de préparer les gens à s'engager dans ce genre d'actions plus risquées. En se multipliant, ces actions pourraient contribuer grandement à infléchir l'actuelle politique de confrontation pour la transformer en une politique plus positive de coexistence inspirée par le motto : « Qui veut la paix, prépare la paix », plutôt que par le traditionnel : « Qui veut la paix, prépare la guerre ».

Une reconversion

Les sommes inouïes présentement englouties dans les dépenses militaires seraient bien mieux utilisées si l'on s'en servait à des fins utiles et pour répondre aux vrais besoins des gens. Le développement d'une agriculture, d'une foresterie et d'une industrie saines, tant ici que dans le Tiers Monde, nécessite des ressources qui sont présentement gaspillées pour des armes destructrices. La sécurité ne vient pas du fait d'être surarmé, mais plutôt de l'effort sincère fait de part et d'autre pour aborder des problèmes politiques avec des solutions politiques plutôt qu'avec des objectifs militaires. La folie de la course aux armements est en train de s'étendre à l'espace, mais il ne faut pas perdre de vue que ce n'est pas dans les étoiles que se fera, si jamais elle se fait, la « guerre des étoiles », mais bien sur la terre, la seule planète que nous ayons. La paix sur la terre ne viendra pas à travers l'escalade des armes, mais plutôt grâce à un fort mouvement pour le désarmement et la paix, c'est-à-dire des actions concrètes entreprises par les hommes et les femmes de bonne volonté pour régler les problèmes de la pauvreté et de la faim et pour promouvoir la justice et la réconciliation. Un changement dans la nature des relations internationales est nécessaire pour qu'elles soient dorénavant fondées sur autre chose que sur l'affrontement technico-militaire et sur la stratégie et les alliances militaires. La paix est bien mal servie par ces moyens. Un nouvel internationalisme par le bas doit s'enraciner et se développer pour réorienter les priorités en faveur d'un arrêt puis d'un renversement de la course aux armements et d'une utilisation des ressources ainsi libérées à des fins non belliqueuses et au développement des pays pauvres. Pour vaincre la guerre et gagner la paix, en définitive, il va falloir renforcer le mouvement pour le désarmement et la paix. Lui seul peut déclarer la paix et l'imposer aux gouvernements et remplacer l'affrontement Est-Ouest par un dialogue entre le Nord et le Sud.

TÉMOIGNAGE

Jean-François BEAUDET*

New York, 12 juin 1982. Une million de personnes marchent dans les rues, afin de demander aux dirigeants rassemblés à l'ONU pour la Deuxième session spéciale sur le désarmement, de mettre fin à la course folle de l'humanité vers l'holocauste nucléaire. Un million de personnes qui marchent dans une atmosphère de fête. Elles sont venues de partout et font route ensemble comme si cette terre de paix dont tout le monde rêve était enfin arrivée. Cette expérience de partager, avec un million de personnes, les mêmes espoirs, les mêmes aspirations, fut pour moi une expérience unique de communion profonde avec l'humanité dans une quête commune d'un idéal de paix, dans la recherche de cet absolu que diverses personnes nomment de diverses façons, et que nous, chrétiens et chrétiennes, appelons Dieu.

* Étudiant à la faculté des Sciences religieuses de l'Université McGill, il prépare une thèse de maîtrise sur les fondements théologiques de la non-violence. Il milite au sein de l'Union des Pacifistes du Québec et de la Coalition québécoise pour le désarmement et la paix (CQDP). Il est aussi membre d'une communauté de base chrétienne.

Cette journée marquait aussi le couronnement de plusieurs mois de préparation pour permettre à 2 000 Québécois et Québécoises de se rendre à New York pour manifester. C'est par cette organisation que je me suis engagé dans le mouvement pour la paix. Auparavant, j'avais surtout été engagé dans un travail auprès de personnes handicapées physiquement ou mentalement.

À la source de ces engagements, il y a eu ma foi chrétienne. Celle-ci a toujours été synonyme d'engagement actif dans la réalité qui m'entoure. Pour moi, avoir la foi, c'est être prêt à aimer, et aimer, cela signifie travailler à tout ce qui peut améliorer la condition humaine, ce qui amène aussi à lutter contre tout ce qui brise et écrase les personnes. Cet amour peut nous appeler à aller jusqu'à la souffrance, jusqu'à la croix. Mais l'amour est plus fort que la mort. . . C'est le coeur même de la foi chrétienne.

Le sens de l'amour dont parle l'Évangile, c'est pour moi, aujourd'hui, un engagement radical et inconditionnel à faire disparaître toutes les armes nucléaires, et même toutes les armes, de la surface du globe. Il me semble impossible de parler d'amour des autres si je n'essaie pas de faire l'impossible pour empêcher la planète de sauter. Et ce désarmement, je dois le commencer ici dans mon propre pays. En effet, je n'arrive pas à concevoir qu'on puisse parler d'amour tout en étant prêt à ce qu'on calcine des millions d'hommes, de femmes et d'enfants des pays d'Europe de l'Est pour supposément nous « défendre ».

Le 25 octobre 1983, j'étais arrêté avec treize autres personnes pour avoir tenté de m'attacher symboliquement aux grilles du consulat soviétique, afin de protester contre le rôle joué par l'URSS dans la course aux armements, et aussi pour dénoncer la répression dont sont victimes les pacifistes indépendants qui militent dans les pays d'Europe de l'Est, en posant un geste de solidarité. D'autres personnes du même groupe avaient été arrêtées la veille pour d'autres actions non violentes de désobéissance civile devant le consulat américain et au centre de recrutement de l'armée canadienne, où elles protestaient contre les essais du missile Cruise en sol canadien.

S'engager ainsi dans une action de désobéissance civile, c'est aller à l'encontre de bien des comportements appris dès le plus jeune âge. On m'avait toujours dit d'obéir à mes parents, à mes professeurs, etc. « Il faut toujours obéir aux autorités. » De plus, lorsqu'on s'inscrit dans la tradition catholique, on porte des siècles d'enseignement d'obéissance aux autorités « légitimes ». On a oublié que Jésus a été crucifié, sort réservé aux opposants politiques des autorités romaines. C'est ce que rappelle Mgr Hunthausen, l'évêque de Seattle, aux États-Unis, en demandant aux gens de son diocèse de ne pas payer leur part d'impôt qui va à l'armement.

Avant de poser mon geste, j'avais aussi beaucoup réfléchi sur la responsabilité de l'Église sous l'Allemagne nazie. Obéir à Hitler était, pour les chrétien-ne-s allemand-e-s un « devoir » puisqu'Hitler était une autorité « légitime ». Qui sait ce qui serait arrivé, me suis-je souvent demandé, si tous/toutes les chrétien-ne-s (95 % de la population) lui avait désobéi?

Un autre évêque, celui d'Amarillo au Texas, Mgr Mathiesen, affirme que les armes nucléaires sont les Auschwitz de notre temps et que c'est un devoir pour les chrétien-ne-s de désobéir aux autorités des États nucléaires. Toutes ces pensées m'habitaient tout au long de mon geste de désobéissance civile et du procès, où le juge nous acquitta pour des raisons de technicalité.

Ces derniers temps, mon engagement dans le mouvement pour la paix m'a amené à m'interroger sérieusement sur les questions de défense. Comment peut-on défendre un pays à l'ère nucléaire? Cette question prend pour nous, chrétien-ne-s, une dimension particulière. Elle touche les racines même de notre foi. Si nous croyons en ce Dieu qui est amour, ce Dieu qui « sauve » l'humanité en aimant et en souffrant à travers Jésus, pour se révéler d'une façon radicale dans la résurrection où l'amour est plus fort que la mort, il me semble que c'est cette force de l'amour qui est notre meilleure défense. Et la non-violence est la mise en application de cette force de l'amour.

Dans des situations inacceptables d'oppression, d'injustice ou de menace de génocide nucléaire, la force de l'amour devient résistance active et engagement dans une lutte non violente pour la transformation sociale. Porter sa croix devient alors une suite de Jésus dans son opposition aux autorités, par amour des autres. L'amour a sa place dans le monde des guerres et de l'oppression sous la forme de la non-violence *active. Gandhi et Martin Luther King n'étaient pas que de doux rêveurs. Leurs opposants politiques en savaient quelque chose.*

Dans plusieurs milieux, on parle maintenant de développer une défense civile et non violente qui serait efficace. Des professeurs d'université, et même des gouvernements (par exemple, en France et en Suède) ont fait des recherches pour étudier les possibilités de défendre un pays par la non-violence. Mon engagement dans le mouvement pour la paix et ma réflexion sur la menace d'extermination par la violence nucléaire m'ont amené à croire qu'une défense non violente est la seule réponse possible à la menace qui pèse sur nous. De plus, comme chrétien, j'ai la conviction profonde que le « salut » apporté par Jésus à une humanité qui se précipite vers l'hécatombe nucléaire n'est autre que son appel à l'amour de l'ennemi mis en application dans la non-violence active.

RESSOURCES

Livres

Ronald BABIN, *L'option nucléaire*, Boréal Express, Montréal, 1984.

Helen CALDICOTT, *La folie nucléaire*, Éd. Maison des mots, Beloeil, 1984.

COLLECTIF, *Des Églises d'Occident face aux exportations d'armes*, L'Harmattan, Paris, 1979.

G. F. KENNAN, *Le mirage nucléaire*, La Découverte, Paris, 1984.

Y. LACOSTE, *La géographie, ça sert d'abord à faire la guerre*, Maspero, Paris, 1976.

Philippe LACROIX, *Éviter la guerre,* Maspero, Paris, 1983.

B. OVERY, *How Effective are Peace Movements*, Harvest House, Montréal, 1982.

Fédération internationale des universités catholiques et Club de Rome, *Les mouvements de la paix*, FIUC, Rome, 1983.

E.P. THOMPSON, D. SMITH, *Protest and Survive,* Monthly Review Press, New York, 1981.

Brochure

Moi, je choisis la paix, Guide d'animation pour le désarmement et le développement, Association Québécoise des Organismes de Coopération Internationale (AQOCI), Montréal, 1983. On peut se procurer ce guide à l'AQOCI, 1115, boul. Gouin est, Suite 200, Montréal, Qué. H2C 1B3 Tél. : (514)382-4560.

Revues

Alternatives non violentes, Craintilleux, 42210 Montrand-les-Bains, France.

Option-Paix (tendance non-alignée), 88 Lionel-Émond #3, Hull, Qué. J8Y 5S3 Tél. : (819) 771-4499.

Zone libre (tendance pro-soviétique), 1415 rue Jarry est, Montréal, Qué. H2E 1A7.

Peace Magazine, a/s CANDIS, 10 Trinity Square, Toronto, Ont. M5G 1B1.
(CANDIS = Canadian Disarmament Information Service)

Numéros spéciaux de revues québécoises

Communauté chrétienne, vol. 23, nº 134, mars-avril 1984, « Sentiers de guerre, chantiers de paix ».

Contretemps, vol. 1, nº 1, septembre 1985, Dossier pacifiste.

Ça presse le désarmement, octobre 1984, Journal spécial de la CQDP produit à l'occasion de la manifestation du 20 octobre 1984. Disponible à : 1264 St-Timothée, Montréal, Qué. H2L 3N6.

Critère, nº 38, automne 1984, « De la guerre I » ; nº 39, printemps 1985, « De la guerre II ».

Idées et pratiques alternatives, vol. 1, nº 2, printemps 1984.

Relations, nº 504, octobre 1984, « La technologie de la paix : Avons-nous le choix ? »

Revue internationale d'action communautaire, 12/52, automne 1984, numéro spécial sur « Le mouvement pour le désarmement et la paix », réalisé par Jean-Guy Vaillancourt et Ronald Babin, 224 pages.
Disponible à l'adresse suivante : Éd. Saint-Martin, 4073, rue St-Hubert, Montréal, Qué. H2L 4A7 (10,00 $).

Le temps fou, nº 28, mai 1984, « Spécial Cruise : Flirter avec le désastre ».

La vie en rose, nº 15, janvier-février 1984, « Demain la guerre ? »

Vie ouvrière, nº 150, décembre 1980, « Militarisation et répression au Canada » ; nº 178, juin 1984, « Le désarmement ».

Les femmes et la paix

Jeannine GAUTHIER*

Évoquer la participation de la moitié de l'humanité à l'avènement de la paix dans le monde, c'est faire appel à des noms, se souvenir d'événements et s'interroger sur les caractéristiques de l'action pacifiste des femmes. Il serait cependant trop facile d'en rester à une simple énumération de faits et à une courte analyse de cette action. Il faut aller plus loin, en suggérant des moyens concrets et inédits, pour favoriser une implication encore plus grande des femmes à la cause de la paix.

L'histoire est éloquente au sujet de la participation des femmes à la cause de la paix. Un bref survol de notre époque moderne suffit à fournir des noms et des faits. Lors de la guerre de 1914, selon une auteure américaine, il n'y aurait pas eu de mouvement pour la paix aux États-Unis sans la

* Mariée, quatre enfants. Baccalauréat en Théologie. Étudiante à la Maîtrise en Théologie, Université Laval. Membre du comité de rédaction de la revue *Pastorale-Québec*. Co-présidente de la commission « Justice et Foi », diocèse de Québec.

participation des femmes.[1] Plus près de nous, personne n'ignore la situation dramatique de l'Irlande et de cette triste et interminable guerre entre protestants et catholiques. Eh bien! ce sont deux femmes qui ont fondé le mouvement pour la paix dans leur pays . Cette action courageuse leur a mérité le prix Nobel de la Paix en 1977. Il s'agit de Betty Williams et Mairead Corrigan. Voilà que plus récemment encore, soit en 1982, une diplomate suédoise, Alva Myrdal, se voit attribuer elle aussi le prix Nobel de la Paix. Enfin, les statistiques des Nations Unies montrent que 70 % des personnes impliquées dans le travail pour la paix et la justice sociale sont des femmes.[2]

Pour compléter ce court rappel historique, qu'il suffise d'ajouter que les femmes ont contribué à fonder plusieurs mouvements dont le but principal est de promouvoir la paix. En voici quelques-uns : « La voix des femmes », « Conférence internationale des femmes pour la paix », « L'alliance pour l'action non violente », « Réseau québécois pour le désarmement nucléaire », « Projet d'information sur le désarmement ». Et il y en a beaucoup d'autres.

Un autre élément intéressant mérite aussi d'être mentionné. Saviez-vous qu'à l'origine, la Fête des Mères était censée être un jour de paix ? En 1910, un dépliant distribué pour cette fête se

1. Barbara J. STEINSON, « The Mother Half of Humanity », chap. 11, dans *Women, War and Revolution*, Holmes and Meir Publishers Inc., New York, 1980, p. 261.

2. *Les options des femmes pour négocier la paix* (revue), Coalition de groupes féminins canadiens, Conférence internationale pour la paix, Halifax, vol. 2, 1985, p. 1.

lisait comme suit : « *La possession commune du monde vivant est une mère ; chacun a ou a eu une mère. Et tous, sauf les fous dangereux, veulent la paix.* »[3] N'est-il pas regrettable que notre société de consommation ait changé la vocation première de cette journée pour en faire un « boum » commercial!

Quelle vision de la paix les femmes ont-elles? Quel genre de motivation sous-tend leur action pacifiste? Une chercheuse norvégienne, spécialiste de la paix, Mme Birget Brock-Utne[4], a analysé d'une façon particulière l'action des femmes au sein des mouvements pour la paix. Elle y a décelé trois caractéristiques principales : 1. Les femmes ont un souci prioritaire pour la vie ; 2. les femmes ont développé une attitude de non-violence face aux agressions ; 3. les femmes désirent une paix universelle sans distinction de race, de pays, de système politique.

1. Les femmes ont un souci prioritaire pour la vie

La femme conçoit la vie, la porte en son sein pour enfin mettre au monde un enfant. Son action pour la vie ne s'arrête pas là car elle mettra tous ses efforts à faire que cette vie progresse jusqu'à pouvoir engendrer elle-même d'autres vies.

Comment une personne si profondément liée à la vie peut-elle ne pas s'impliquer face à la guerre,

---

3. *Moi, je choisis la paix*, Guide d'animation pour le désarmement et le développement, Association québécoise des organismes de coopération internationale (AQOCI), Montréal, 1983, p. 13.

4. *Les options des femmes pour négocier la paix*, p. 5.

à toutes les guerres qui exterminent les êtres vivants! « *Pour une femme, la grande question est de savoir si ses enfants — en fait si la vie — ont un avenir.* »[5] Pour les femmes, travailler à l'épanouissement de cette fleur fragile qu'est la paix, c'est rendre hommage à la maternité de toutes les femmes car la paix protège la vie et en assure la continuité. Les femmes sont fortes de leur maternité! Elles en connaissent la puissance! Qu'on pense aux cris des mères argentines, celles que l'on surnomme « les folles de la Place de mai », qui réclament leurs fils, leurs frères, leurs pères, leurs maris disparus.

Dieu a donné à la femme le soin de donner la vie, de l'entretenir et de la préserver. « *Ce don de Dieu à la femme devient pour elle un des motifs les plus impérieux de rechercher et d'assurer la paix.* »[6] Cette vocation à la maternité incite les femmes chrétiennes à convaincre le reste de l'humanité que l'être humain est appelé à une plénitude de vie et que la paix est le chemin pour y parvenir.

C'est de la manière la plus intime qui soit que la femme possède le sens de la vie, qui est à l'opposé du sens de la guerre. Elle ne peut donc laisser aux mains des généraux, des politiciens et des chefs d'État, les questions qui risquent d'anéantir la vie.

---

5. *Les options des femmes pour négocier la paix*, p. 5.

6. Sr Juliana CASEY, i.h.m., « Les femmes, le pouvoir et la recherche de la paix », dans *Bulletin C.R.C.*, vol. 23, n° 4, octobre-décembre 1983, p. 3.

2. Les femmes ont développé une attitude de non-violence face aux agressions

Les femmes ont subi toutes les violences du monde. Depuis des temps immémoriaux, elles ont été les victimes de la force et du pouvoir des hommes. Les guerres ont toujours eu pour victimes privilégiées les femmes, les enfants et les vieillards. C'est donc par nécessité que les femmes ont développé l'attitude contraire à celle qui les a si souvent blessées, opprimées et meurtries, c'est-à-dire la non-violence. « *La non-violence est une méthode naturelle pour les femmes ; le Mahatma Gandhi a emprunté ses idées sur la non-violence à des femmes d'Afrique du Sud.* »[7]

À cause de cette attitude nouvelle et différente de celle des hommes, l'action des femmes dans les mouvements pour la paix ne peut être que distincte et souvent divergente. Les femmes rejettent l'idée de préparer la guerre pour garder la paix. Elles sont pour la négociation et contre la confrontation. Toutes les querelles peuvent et doivent se régler par la raison et non par les armes. Elles demandent l'amour entre les humains et non seulement une coexistence pacifique dénuée de tout sentiment. La vie des enfants, la présence du père, sont pour elles des valeurs plus importantes que le pouvoir et la domination, qui sont souvent les valeurs des hommes. Pour ces raisons et nombre d'autres, les femmes rejettent la guerre génératrice de violence et recherchent la paix, fruit de la non-violence.

---

7. *Les options des femmes pour négocier la paix*, p. 5.

3. Les femmes désirent une paix universelle, sans distinction de race, de pays, de système politique

S'il est vrai que, pour les Québécoises et aussi pour toutes les Canadiennes, la guerre est une réalité « d'ailleurs », elles ne peuvent rester insensibles aux souffrances des autres pays du globe qui en subissent les horreurs. Dans leurs efforts de paix, les femmes ont cette vision universelle. C'est pour tous les humains qu'elles désirent l'absence de conflits qui détruisent la vie. En 1870, une féministe américaine, Julia Ward Howe, mère de cinq enfants, déclarait aux femmes du monde entier :

« *Debout, toutes les femmes de coeur . . . dites fermement : nous, femmes d'un pays, serons trop tendres envers celles d'un autre pays, pour permettre à nos fils de blesser les leurs. Au nom de la féminité et de l'humanité, je demande avec ardeur qu'un Congrès général des femmes, sans limites de nationalité, promouvoie l'alliance des différentes nationalités, la résolution amicale des questions internationales, l'intérêt grand et général de la Paix.* »[8]

Au Québec comme partout ailleurs dans le monde, les femmes sont au premier rang pour lutter contre la course aux armements, surtout les armes nucléaires. Elles désirent que l'argent de la guerre serve à soulager les misères du monde.

Les femmes peuvent-elles aller plus loin dans leur engagement pour la paix ? Ont-elles épuisé

8. *Moi, je choisis la paix*, p. 13.

tous leurs moyens? Quand on connaît les ressources inépuisables et insoupçonnées d'un coeur de mère, on peut affirmer que les femmes n'ont pas dit leur dernier mot pour que règne la paix. Pour que vienne ce jour merveilleux, il faut continuer à oeuvrer : 1. en s'informant davantage ; 2. en ralliant, en plus grand nombre encore, les mouvements pour la paix ; 3. en posant des gestes concrets.

1. En s'informant davantage

C'est l'ère de la communication! Les distances s'amenuisent et disparaissent. Pas un jour ne s'écoule sans que les journaux, la radio ou la télévision ne parlent des conflits qui existent déjà ou nous annoncent la naissance de nouveaux foyers de terrorisme et de guerre. Cet étalage de violence doit stimuler tout engagement pour la paix. L'information ne doit pas servir seulement à satisfaire notre curiosité, mais elle doit davantage sensibiliser et pousser à l'action. Si la nouvelle parle de guerre, il faut penser et travailler à la paix.

2. En ralliant, en plus grand nombre encore, les mouvements pour la paix

Chaque pays, chaque contrée, chaque localité possède des mouvements pour la paix. Les militantes sont déjà nombreuses mais pourraient être plus nombreuses encore. Ces mouvements tirent leur force de la puissance de leur voix et cette voix c'est le nombre de leurs membres. Non seulement il faut joindre les rangs des mouvements qui nous sont connus et familiers mais : « *Il est essentiel d'encourager les efforts de paix que les femmes déploient individuellement, collectivement et au sein d'organisations nationales et internationales. »*[9]

3. En posant des gestes concrets

Voici des exemples : en 1982, une « Pétition des femmes pour la paix » fut signée par plus de 115 000 Canadiennes et remise au secrétaire général des Nations Unies en même temps que les pétitions de plusieurs millions de femmes à travers le monde[10] ; en 1983, la Journée internationale des femmes a eu pour thème : « Les femmes, la paix et le développement ». Voilà des gestes collectifs, faciles à répéter et qui démontrent la solidarité des femmes devant un problème tel que la guerre, qui est ennemie de la paix et de la vie.

La maternité présentée comme étant la raison fondamentale de l'agir des femmes pour la paix devient aussi la source principale d'où peuvent surgir des actions individuelles pertinentes et faciles à réaliser. Les femmes peuvent et doivent, dans chacun de leur foyer, éduquer les hommes et les femmes de demain à développer un esprit et un désir de paix. Elles ont à s'élever contre tous les jeux de guerre mis entre les mains des enfants, contre les émissions de télévision qui étalent la guerre et la violence et contre le littérature violente et haineuse. Elles ont à parler souvent de paix et d'amour entre tous les humains. Il leur faut joindre le geste à la parole et l'action à la réflexion.

La conclusion est laissée à une aînée, une femme de 79 ans (en 1983), Léa Roback, membre

---

9. *Les options des femmes pour négocier la paix*, p. 1.

10. *Moi, je choisis la paix*, p. 4.

de « La Voix des Femmes » depuis 1964, qui résume ainsi les propos des femmes lors d'un congrès international tenu à Montréal en 1966 : « *Il faut travailler ensemble pour la paix; il faut manifester pour la paix; il faut écrire pour la paix; c'est à nous d'aller de l'avant et d'amener la paix sur la terre car les hommes ne le feront pas* ».[11]

TÉMOIGNAGE

Joanne LAGACÉ*

Le 8 mars 1981 : j'assiste pour la 1re fois à une manifestation : « Les femmes pour la paix ». Il pleut. Nous sommes à peine une quinzaine à défier la grisaille. Les caméras m'intimident énormément. Je ne veux pas attirer l'attention. Je ne répète pas les slogans. Je ne brandis pas de pancarte.

Suivent trois mois de découvertes toutes plus bouleversantes les unes que les autres. Je ne comprends pas que le train-train quotidien puisse continuer alors que l'humanité prépare l'acte psychotique ultime du suicide collectif. C'est à grand-peine que je réprime une panique intérieure qui se gonfle en moi comme une marée. Quand je regarde l'immensité de la voûte étoilée, je me dis

---

11. *Moi, je choisis la paix*, p. 3.

* Enseignante, mère de deux enfants, membre du « Projet québécois pour le désarmement » (115, Carillon #43, Hull, Qué. J8X 2P8) et responsable du groupe de jeunes pour le désarmement et la paix dans son école.

qu'il ne faut absolument pas que notre manque de perspective nous empêche d'aller plus loin dans cette aventure fantastique qui ne fait que commencer. Ce serait vraiment trop bête. Particulièrement troublants sont les visages des enfants. Leurs sourires timides, leurs grands yeux pétillants, leurs éclats de rire contagieux, leurs regards confus ou désespérés hantent mes nuits. Je me réveille en sueurs froides sans pouvoir respirer. Ma peur est si intense qu'il me semble qu'elle va m'apparaître.

Pour me détendre, je suis des cours de yoga. Hélas (ou heureusement) la prise de conscience s'y accentue. Je vois tout d'un nouvel oeil : la pornographie, le sexisme, le racisme, la « défense » nationale. . . Je comprends qu'au fil des ans, en affublant mon idéalisme d'épithètes farcies de sarcasme, on avait réussi à me conditionner, à me faire accepter la violence comme partie intégrante de la vie. Pire, dans ma grande hâte de devenir adulte, je m'étais mise à répéter les mêmes clichés défaitistes que proféraient bon nombre de grandes personnes : « Ça ne sert à rien ». . . « L'homme est violent de nature ». . . « Vous êtes bien jeunes encore ». . ., et, en haussant les épaules, en un soupir résigné, le classique « C'est la vie. . . »

Ayant compris mon erreur, je décide de passer à l'action. Je deviens membre d'un groupe pour la paix. D'ailleurs, c'était devenu impératif. C'était cela ou la folie ou le suicide. Heureusement, la raison l'avait emporté : j'avais compris que l'ennemi, ce n'est pas « les hommes » ou « les Russes » ou « les gouvernements » mais bel et bien l'insécurité, la méfiance, la peur qui nous habite ; se laisser prendre au piège de la folie ou du suicide, c'était permettre à cet ennemi de marquer un but. Mieux valait contribuer de façon plus constructive.

Car c'est bien ce qu'il nous faut faire : construire la paix. Dans ce monde matériel, il faut qu'elle se matérialise, qu'elle prenne la forme d'un geste, d'une affiche, d'un édifice, d'un film, d'un auto-collant, peu importe. Il faut qu'un peu partout à tous les jours, nous ayons sous les yeux des rappels car nous ne pouvons vraiment plus nous payer le luxe de jouer à l'autruche. La force nucléaire nous accule au mur : c'est l'annihilation ou la paix. Finies les demi-mesures ! Il faut choisir : la vie ou la mort, la justice ou la mort, la paix ou la mort. . .

Aujourd'hui, je sais qui je suis et je sais ce que je veux. Jamais plus je ne pourrai me rendormir. Avec cette nouvelle conscience, je ne peux plus être complice, je ne peux plus coopérer, je ne peux plus passer sous silence les efforts multiples de l'institution militaire vers un pouvoir sans cesse accru. Dieu seul sait où cela me mènera. Je me prépare à toutes sortes d'éventualités.

Nous construisons la paix
en construisant
un monde plus humain.

(Jean-Paul II)

Les jeunes
et la paix

JEUNESSE DU MONDE*

Les jeunes au milieu du monde

Prenons un moment pour nous représenter notre monde d'aujourd'hui, dans lequel vivent les jeunes. Les médias d'information regorgent de mauvaises nouvelles : attentats, guerres, émeutes, terrorisme. Les programmes que regardent les jeunes sont souvent truffés de scènes de violence. Les dessins animés, destinés aux enfants, le sont encore plus, à quelques exceptions près. (Avez-vous déjà écouté la trame sonore d'une de ces émissions, sans regarder les images ? Essayez! Vous verrez comment elle est agressante.)

Selon le rapport Nielsen de 1982, une famille américaine (la famille canadienne n'est pas très différente!) regarde la télévision près de 50 heures par semaine en moyenne. Au moment où il a terminé ses études secondaires, l'adolescent

* « Jeunesse du Monde » est le secteur des jeunes des Oeuvres Pontificales Missionnaires. Mouvement d'éducation chrétienne à la solidarité internationale, il poursuit quatre objectifs de base : lutte contre le racisme, promotion de la paix internationale, action pour la justice entre les peuples, défense des droits humains.

moyen a déjà passé devant le petit écran l'équivalent fabuleux de 10 années à raison de 40 heures par semaine soit près de deux fois plus de temps qu'en classe. Total affolant si l'on songe qu'il a ainsi assisté à quelque 150 000 scènes de violence avec un nombre de morts qu'on peut estimer à 25 000.

Les jeunes sont très sensibles à la violence verbale ou psychologique dont ils sont souvent victimes, surtout de la part des adultes. Beaucoup se sentent non respectés et agressés par des attitudes de méfiance ou de mépris à leur égard. Pour se défendre, le jeune cherchera parfois à s'attaquer à plus faible que soi. C'est ainsi que l'on constate un taux de violence et de délinquance des jeunes beaucoup plus élevé dans les milieux sociaux plus défavorisés. Pourtant les jeunes se disent prêts au dialogue, à condition de trouver des interlocuteurs adultes « compétents », ce qui veut dire des gens qui sont prêts à traiter avec eux d'égal à égal et qui font eux-mêmes ce qu'ils attendent que les jeunes fassent. On écoute volontiers un homme comme Dom Helder Camara, car son témoignage de vie est conforme à son discours.

La situation économique et sociale actuelle n'est pas pour faciliter la vie aux jeunes. Devant un manque de perspectives dans le domaine du travail, devant la menace nucléaire, beaucoup plus présente dans l'esprit des jeunes que dans celui des adultes, un certain nombre de jeunes se réfugient dans un monde d'anarchie (par exemple, les modes excentriques) ou dans un monde de musique rock qui devient comme une espèce de drogue pour l'esprit. Il y a aussi ceux qui vont plus loin et deviennent victimes de l'alcoolisme ou de la toxicomanie.

Toutes ces manifestations plus ou moins violentes de la part des jeunes ne sont-elles pas autant de cris de détresse au milieu d'un monde qu'ils voudraient tellement différent ? N'ont-ils pas raison quand ils disent que pour eux, la paix n'existera que dans un monde de justice où chaque être humain sera respecté dans toute sa dignité et pourra vivre décemment ?

Les jeunes interrogent le monde

Si certains gestes ou attitudes des jeunes sont parfois mal compris et suscitent des réactions de rejet de la part de la société, d'autres gestes sont sans équivoque et expriment clairement la vision qu'ont les jeunes de l'avenir et de la paix.

À preuve cette « Déclaration de paix » composée par un groupe de « Jeunes du Monde » et proclamée solennellement lors d'un grand rassemblement qui avait lieu à Québec le 30 juin 1984.

DÉCLARATION DE PAIX

Vu,

- *l'accroissement des stocks d'armes, la présente menace d'un holocauste nucléaire ;*

- *l'absence de justice, le climat de violence, d'intolérance, de violation des droits humains ;*

- le système d'inégalités engendré par les structures économiques et politiques centrées sur des intérêts particuliers plutôt que sur le bien commun ;

- la désespérance créée chez les jeunes par cette situation ;

- le droit fondamental de tous à la vie et à l'épanouissement personnel ;

- le lien qui nous unit comme fils et filles du même Père ;

Nous, « Jeunes du Monde », déclarons :

— qu'il est primordial d'entreprendre une action, dès maintenant, afin de restaurer la paix à l'échelle du globe et, ce, dans les plus brefs délais ;

— qu'il est nécessaire de nous engager encore plus aujourd'hui, avec audace, à lutter pour la justice, la vérité, l'amour et la paix, à la manière de Jésus, le doux, le non-violent ;

— qu'il faut que tous se joignent à nous dans cette action pour la paix en réponse au vibrant appel que nous lançons.

- Nous demandons à tous les êtres humains de travailler avec nous, à faire reculer les frontières du mal qui sont en nous, en y mettant toute leur force d'aimer, en développant une attitude de tolérance et de fraternité.

- Nous demandons à tous les autres groupes déjà impliqués dans la lutte pour la justice de se joindre à nous dans cette démarche de paix.

- *Nous demandons à tous les jeunes de s'unir pour réaliser ce monde nouveau.*

- *Nous demandons aux chefs d'État, aux gouvernants, aux puissants de se faire artisans de réconciliation et de paix, de promouvoir une civilisation de la paix en respectant les droits fondamentaux à la vie et au bonheur, en abolissant les dépenses militaires exagérées, en cessant de développer l'arsenal nucléaire.*

Nous, « Jeunes du Monde », proposons que soit signé un « traité de paix » entre les superpuissances, entre les peuples. Que ce geste soit appuyé par l'action de tous les jeunes à travers le monde et adopté pour le bien de l'humanité.

* * *

Un autre événement récent a même eu une résonance mondiale. Il s'agit de la rencontre historique des jeunes avec le pape Jean-Paul II au Stade olympique de Montréal, le 11 septembre 1984. Qui ne se souvient pas de la présentation chorégraphique exprimant les inquiétudes et les questions des jeunes ? Le thème de la paix y était omniprésent. Le Pape l'a aussi souligné dans son discours aux jeunes : « Vous êtes citoyens d'un pays qui vit en paix, mais l'avenir de l'humanité vous préoccupe. Vous appelez la paix du plus profond de votre coeur. Répercutez cet appel! Je souhaite que votre souci de la paix mondiale fasse de vous des ouvriers de paix. Commencez par votre milieu. Reprenez en vérité la prière de François d'Assise, bâtisseur de paix dans sa propre ville : « Seigneur, fais de moi un instrument de ta paix; là où il y a la haine, que je mette l'amour. . . » Et, comme le disait récemment Madame Jeanne Sauvé, 'il faut que la paix devienne un état d'âme, une manière d'être et de travailler' ».

Quand Jean-Paul II parlait, quelques instants plus tard, du pouvoir de devenir enfants de Dieu, les jeunes ont manifesté un accueil enthousiaste. Cette réponse ne rejoint-elle pas cette réflexion de Mary Evelyn Jegen, s.n.d., quand elle affirme : « La paix est aussi une tâche. La dimension de la tâche est exprimée très clairement dans les Béatitudes. Il vaut la peine de noter que « bienheureux les artisans de paix » est la seule béatitude à laquelle est attachée la promesse : « car ils seront appelés enfants de Dieu ». Jésus nous dit que lorsque nous sommes attelés à un travail de paix, le Père nous reconnaît comme porteurs de son image, comme ses propres enfants. »[1]

Les jeunes appellent la paix

Si les enfants sont symboles d'innocence et de fraîcheur, les jeunes, eux, représentent la remise en question, l'interpellation des situations établies. Ceci rejoint l'approche biblique des jeunes. Écoutons à ce sujet André Leblanc, p.m.é., dans une conférence adressée au Congrès international de la FICOM-J (Fédération internationale catholique des organismes missionnaires de jeunes) tenu à Cap-Rouge du 21 au 27 juillet 1984.

« La Bible fait une place spéciale aux jeunes, elle révèle un certain regard que Dieu leur porte.

---

1. Dans : PAX CHRISTI INTERNATIONAL, *Pour une spiritualité de la paix*, Belgique, 1983.

Quel est-il ce regard? Il est important d'essayer de le saisir, car il peut contenir un appel particulier.

- Aussi bien dans l'Ancien que dans le Nouveau Testament, Dieu manifeste une préférence marquée pour les jeunes, pour le plus jeune.

- On le voit dès les premières pages de l'Ancien Testament, qu'il s'agisse d'Abel, d'Isaac, de Jacob, de Joseph. On le voit aussi dans le choix de David préféré à ses frères aînés, dans la vocation de Jérémie appelé dès son

jeune âge, de même que le jugement très positif porté sur son contemporain le très jeune roi Josias. On le voit dans le rôle de Daniel et des autres jeunes gens face au pouvoir totalitaire représenté par le roi de Babylone.

- Jésus adolescent est présenté par Luc comme capable d'étonner les aînés par ses questions et ses réponses. Dans son ministère public, Jésus manifeste à des jeunes cette même préférence que Yahvé dans l'Ancien Testament : on le voit dans le cas de l'appel de Jean et du jeune homme riche, dans la place qu'il donne au frère cadet dans la parabole de l'enfant prodigue, dans la résurrection du fils de la veuve de Naïm et de la fille de Jaïre.

- Paul aimera la compagnie de jeunes tels que Marc pour annoncer la Bonne Nouvelle du Royaume, et n'hésitera pas à donner des postes de confiance à des jeunes comme Tite et Timothée dans l'organisation des nouvelles communautés chrétiennes qui jaillissaient comme les plus beaux fruits de l'évangélisation. Paul avait bien raison d'agir de la sorte car, avec le don de l'Esprit, s'était réalisée la prophétie de Joël : « Vos fils et vos filles seront prophètes, les jeunes auront des visions » (Actes des Apôtres 2, 17). »

Il est vrai que les jeunes dérangent l'ordre (ou le désordre ?) établi ! Combien d'actions n'ont-elles pas été posées par des jeunes en faveur de la paix ces dernières années ? Pensons aux marches de la paix dans plusieurs grandes villes du monde, aux milliers de jeunes qui ont uni leur voix dans des pétitions contre les armements. Pensons au Camp de la paix sur la colline parlementaire à Ottawa, à la campagne contre les jouets militaires, aux actions non violentes de plusieurs organismes s'inspirant de la philosophie de Gandhi ou de Lanza del Vasto où de plus en plus de jeunes se retrouvent. Autant de gestes qui interpellent l'opinion publique et ceux qui détiennent le pouvoir.

Plusieurs organismes sont engagés avec les jeunes dans la promotion de la paix internationale. En voici quelques-uns ;

— **Jeunesse du Monde**
920, rue Richelieu, Québec, Qué. G1R 1L2
Tél. : (418) 694-1222

— **École instrument de paix**
5—7, rue de Simplon, CH 1207, Genève (Suisse)

— **Association internationale du Livre de la paix** (section Québec)
C.P. 627, Succursale Desjardins, Montréal, Qué. H5B 1B7

— **Université de paix**
4, boul. du Nord, B-5000 Namur (Belgique)

— **Coalition québécoise pour le désarmement et la paix (CQDP)**
1264, St-Timothée, Montréal, Qué. H2L 3N6

— **Groupe Pax Humana**
219, Argyle Ave, Ottawa K2P 2H4

— **Pax Christi International**
Kerkstraat 150, B-2008 Antwerpen (Belgique)

QUESTIONS

- Être artisans de paix dans mon milieu, qu'est-ce que cela signifie pour moi ?

- Comment puis-je vivre une solidarité réelle qui franchit les frontières de ma famille, de mon cercle d'amis, de ma paroisse, de mon pays ?

- Comment faire connaître et valoriser auprès des jeunes les actions signifiantes en faveur de la paix ?

- Comment soutenir les groupes de jeunes qui posent des gestes concrets en faveur de la paix ?

RESSOURCES

Message de Jean-Paul II pour la Journée mondiale de la paix du 1er janvier 1985 : « La paix et les jeunes marchent ensemble ».

Lettre de Taizé (71250 Taizé-Communauté, France). Réflexions, rencontres, actions de jeunes et pour les jeunes sur la paix, la justice, l'amour, l'engagement chrétien.

La paix. . . y crois-tu ?, Dossier pédagogique à l'intention des jeunes du Secondaire IV et V. Service jeunesse, La Société canadienne de la Croix-Rouge, 2170, boul. Dorchester ouest, Montréal, Qué. H3H 1R6 Tél. : (514) 937-7761.
12,00 $ plus 10 % pour les frais de manutention.

Bernard BENSON, *Le livre de la paix*.

SUGGESTIONS D'ACTIVITÉS

- Organiser une rencontre dans son école avec un professeur ou un étudiant particulièrement versé sur le sujet de la course aux armements ou du contrôle des armes.

- Organiser un débat entre étudiants de la même classe, de classes différentes ou même d'écoles différentes sur des sujets comme : « Pour ou contre la course aux armements ? »; « Les dépenses militaires par rapport à l'aide au Tiers Monde »; « Que peut faire le Canada pour hâter le désarmement ? » « Le rôle des chrétiens face à la course aux armements »; etc.

- Mettre sur pied dans son école un groupe de réflexion et d'animation sur les questions entourant la paix dans le monde.

- Organiser dans son école une Semaine de la paix ou une journée d'étude sur le désarmement.

- À l'occasion de la Semaine du désarmement (qui débute chaque année le 24 octobre, date de fondation des Nations Unies), faire signer une pétition en faveur du désarmement.

- Intervenir auprès de son député pour lui transmettre une pétition signée à l'école, lui demander de prendre position en faveur du désarmement, exprimer son désaccord au sujet des dépenses militaires faites par le gouvernement, lui demander de venir à l'école exposer la politique du gouvernement en matière de défense, etc.

- Écrire des articles dans le journal de son école ou les journaux de sa localité.

- Réaliser un montage audiovisuel ou un document vidéo sur la course aux armements.

- Présenter un film sur la guerre nucléaire et le faire suivre d'un échange.

- À partir d'émissions connues de la télévision, faire le relevé des formes de violence présentées. En dégager un portrait-robot de notre société.

- Participer à une rencontre pour la paix (manifestation, soirée de prière, film-conférence).

- Chercher des groupes qui luttent pour la paix et la justice dans son milieu.

- Favoriser l'expression artistique sur le thème de la paix : musique, chants, poésie, théâtre, cinéma, danse, peinture, etc.

- Organiser un concours de caricatures, de dessins sur le thème de la paix.

- Diffuser dans son milieu l'ouvrage ARTISANS DE PAIX.

Je vous laisse la paix ;
je vous donne ma paix ;
je ne vous la donne pas
comme le monde la donne.

(Jean 14, 27)

TABLE DES MATIÈRES

N'ayez pas peur
de miser sur la paix,
d'éduquer à la paix.
L'aspiration à la paix
ne sera pas à jamais déçue.
Le travail pour la paix,
inspiré par l'amour
qui ne passe pas,
produira ses fruits.
La paix
sera le dernier mot
de l'Histoire.

(Jean-Paul II)